ウェールズの教育・言語・歴史

——哀れな民，したたかな民——

平田雅博 著

晃洋書房

目次

図一覧

図1-1　チャールズ皇太子叙任式（カナーヴォン城、一九六九年）。出所：Wynford Vaughan-Thomas, *Wales: A History*, London: Michael Joseph, 1985, p. 216とp. 217にはさまれた写真頁（頁数記載なし）。
図1-2　ハープに合わせて歌う人々（一八〇二年）。出所：Wynford Vaughan-Thomas, op. cit., p. 190.
図1-3　ウェールズの衣装をまとったスラノーファ夫人。出所：Wynford Vaughan-Thomas, op. cit., p. 222.
図1-4　料金所を破壊するレベッカ。出所：Wynford Vaughan-Thomas, op. cit., p. 215.
図1-5　チャーティスト暴動（ニューポート、一八三九年）。出所：Wynford Vaughan-Thomas, op. cit., p. 210.
図2-1　ブリテン全土（囲み地図）と連合法（一五三六年）以後一九七四年までのウェールズの各州。出所：*Reports of the Commissioners on the State of Education in Wales, with appendices*, 1847, Shannon: Irish University Press, 1969, Part II, p. 68, Part III, App. p. 321.
図2-2　セント・メアリーズ公立小学校（ウェールズ民族博物館）。出所：National Museums of Wales, *St. Fagans National History Museum, Visitor Guide*, 1998, 2005, p.44.
図2-3　「ウェールズ語禁止」の札をかけられ、石版を持った女子生徒。下はW. N. とWELSH N（いずれも「ウェールズ語禁止」）と書かれた札。出所：Geraint H. Jenkins, *Wales, Yesterday*

and Today: Discovering Welsh History, Book 4, Oxford: Oxford University Press, 1990.

図2-4　セント・メアリーズ公立小学校内にあった「ウェールズ語禁止」の札。出所：筆者撮影、二〇〇六年八月一四日。

図2-5　ウェールズ語禁止の札（バンゴール博物館）。出所：筆者撮影、二〇〇六年八月九日。

図2-6　方言札（標準語励行の手段として沖縄各地の学校で用いられた罰札）。出所：『高等学校　琉球・沖縄史』東洋企画、二〇〇二年、口絵。

図2-7　サイモンズが視察する教室（一八四八年、ヒュー・ヒューズ画）。出所：Welsh Academy, *Encyclopaedia of Wales*, University of Wales Press, 2008, p. 882.

図3-1　一九世紀半ばのウェールズ言語地図。出所：Dot Jones, *Statistical Evidence relating to the Welsh Language 1801-1911*, University of Wales Press, 1998, p. 329.

図4-1　調査委員に指示を出すケイ＝シャトルワース。出所：Wynford Vaughan-Thomas, op. cit., p. 219.

図4-2　調査委員を海に投げ入れるウェールズ婆。出所：Geraint H.Jenkins, *A Concise History of Wales*, Cambridge University Press, 2007, p. 215.

図4-3　枢密院で報告するジョン・ラッセル卿。出所：Geraint H. Jenkins, *The Making of Modern Wales: Discovering Welsh History*, Book 3, Oxford: Oxford University Press, 1989, p. 95.

図5-1　パタゴニア。出所：Robert Owen Jones, 'The Welsh Language in Patagonia', in Geraint H. Jenkins, ed., *Language and Community in the Nineteeth Century*, Cardiff: University of Wales Press, 1998, p. 296.

序章　ウェールズと四つのネーション

1　四つのネーションからなるブリテン

(1) ワールドカップに四チームも出場可能

ウェールズとはどのようなところだろうか。イングランドのとなりにあるくらいのイメージはあるかもしれないが日本ではまだなじみにくい。しかし、ラグビーファンならば強いナショナルチームがあるところとしてただちにイメージできよう。

イングランドで開催された二〇一五年のラグビーワールドカップの大会の予選プールで日本は南アフリカに大金星、歴史的勝利を挙げた。最後のトライの場面が、ファン投票により「ワールドカップ最高の瞬間」に選出されたことは記憶に新しい。しかし、その直後のスコットランド戦には敗退し、その後サモアとアメリカには勝ったものの結局は決勝トーナメントには進めなかった。だが、ラグビーファンでもない一般人の間にもラグビーが話題にのぼった。

今回のワールドカップで、決勝トーナメントに残った八チームは、ニュージーランド（優勝）、オーストラリア（二位）、南アフリカ共和国（三位）、アルゼンチン（四位）の南半球の他、フランス、ウェールズ、スコットランド、アイルランドのヨーロッパ組である。今までの優勝回数は、ニュージーランドが三回、オーストラリアが二回、南アフリカ共和国が二回となっている。これはやはり南半球の抜群の強さを示している。一方のヨーロッパ組では、イングランドの優勝回数は一回にとどまり、フランスは二位が二回、スコットランドとなると四位が一回、アイルランドはベスト八どまりである。われらがウェールズは三位が一回、四位が一回、あとはベスト八に食い込むこと三回となっている。(1)

ヨーロッパ組は、シックス・ネーションズ（六カ国対抗）というヨーロッパの強豪六カ国が参加する国際ラグビー大会も開いている。これは、一八七一年のスコットランドとイングランド間の対戦から始まり、一八七五年にはアイルランド、一八八一年にはウェールズの代表チームも加わり、それぞれイングランドとの間で最初の対戦が行われた。まもなく、これらフォー・ネーションズ（四カ国対抗）の間で、毎年ほぼ総当たりで試合が行われ、総合成績によって順位を決めるようになった。一九一〇年からフランスが大会に加わり、大会はファイブ・ネーションズ（五カ国対抗）と呼ばれるようになった。二〇〇〇年からイタリアの参加を受け入れたため、シックス・ネーションズに変更された。二〇一五年三月時点で、最多優勝はウェールズの三四回、次いでイングランドの三二回、フランスの二七回、スコットランドとアイルランドの二一回となっており、イタリアの優勝はまだなしである。ここでわれらがウェールズは三四回の最大の優勝経験を誇っている。このような目覚ましいウェールズの成績を知るラグビーファンならばイングランドとウェールズの判別どころか、スコットランド、アイルランドとの判別も容易に出来るはずである。

同様にイングランド、ウェールズ、スコットランド、アイルランドの判別が明瞭にできる日本人のもう一つの一団はサッカーファンであろう。スコットランドのプレミアリーグのクラブチーム・セルティックには二〇〇九年まで中村俊輔（元日本代表。現在は、横浜F・マリノス所属。二〇〇〇年と二〇一三年にJリーグMVPを獲得している、Jリーグ史上初のMVP複数回受賞者）がいた。一九七八年生まれの中村は二〇〇二年からイタリアのセリエAムッジーナに三シーズンいたが、二〇〇五年からセルティックに移籍し、セルティックの三連覇に貢献するめざましい活躍をして、二〇〇七年には年間MVPも受賞している。二〇〇九年にスペインの名門エスパニョーラに移り、二〇一〇年に横浜に復帰している。中村のスコットランドでの活躍で、サッカーへの関心が深まったばかりか、スコットランドとイングランドの区別も判然とした側面がある。

ラグビー同様、サッカーのワールドカップにもイングランド、スコットランド、アイルランド、ウェールズのすべてが出場できる。実際、スコットランドは過去八回にわたってワールドカップに出場し、いずれも一次リーグ敗退となっているが、ブリテンではイングランドに続く成績を残している。アイルランド共和国は、三回出場でベスト八（一九九〇年）が一回、ベスト一六が二回ある。北アイルランドも三回出場でベスト八（一九五八年）に一回行っている。ちなみにこのアイルランド共和国と北アイルランドは一九二二年がアイルランドが南北に分かれた以後はサッカーのサッカー協会も分裂してナショナルチームも二つになったが、ラグビーのアイルランド代表は、協会も分裂せず、アイルランド共和国および北アイルランドから選手が選出されている。

ウェールズは一九五八年にワールドカップベスト八を達成したが、それ以後はあと一歩のところまで行くものの予選敗退が続いている。出場回数も五八年の一回にとどまり四ネーション（イングランド、スコットランド、ウェールズ、北アイルランド）でもっとも少ない。対照的に、イングランドはこれまで一四回出場し、その成績は、一九六六年に自国での開催時に優勝した他、一九九〇年には四位、ベスト八が六回と四ネーションの中ではだんとつの成績を残している。

たとえば日本がワールドカップに出ようとしても、予選にすら一つのナショナルチームしか出場できないのに、ブリテンだけが計四つも出られるのは不公平でもあるのだが、これには歴史的理由がある。イングランドで世界最初のサッカー協会が生まれたのは、国際サッカー連盟（ＦＩＦＡ）の設立より四〇年も前の一八六三年であった。ブリテンの四協会（イングランド、スコットランド、ウェールズ、アイルランド）は、いずれもＦＩＦＡより歴史が長い。イングランド代表は一八七二年にスコットランド代表と最初に対戦した。これがナショナルチーム同志の最初の国際試合と言われる。ＦＩＦＡは、実力や人気の点でこの四協会の力が必要だったこともあり、ブリテンという全国チームとしての加盟ではなく、単独協会での加盟を認めた[2]。

したがって、オリンピックでのサッカーにグレート・ブリテン代表（Great Britain Olympic football team、通称：Team GB）という例外はあるものの（ただし二〇一二年ロンドン大会でも男子はイングランドとウェールズ、女子はイングランドとスコットランドからしか選手は選ばれなかった）、ブリテンには全国チームの体制は存在せず、ワールドカップには、イングランド、スコットランド、ウェールズ、北アイルランドのそれぞれの選手を集めて四チームとして予選に臨む、というわけである。

ちなみにラグビーも、強豪の南半球に遠征する「ブリティッシュ・アンド・アイリッシュ・ライオンズ」というホームユニオン四協会で構成された混成チームがある。南半球には束になってようやく勝負になるということだろうか。一九一〇年ごろには「ブリテン諸島代表（British Isles）」と呼ばれ、「ライオンズ」という愛称が付いたのは一九三〇年頃からである。エンブレムにはイングランド代表の薔薇、スコットランド代表のアザミ、ウェールズ代表のプリンス・オブ・ウェールズの羽根、アイルランド代表のシャムロックが描かれている。ブリテンとアイルランドのラグビー選手にとってライオンズに選ばれることは名誉であるという。

（2）ブリテンの臣民はすべてイングランド人

ラグビーとサッカーのワールドカップに出場できるネーションとか国とかを定義なしに使ってきたが、さしあたり、ここでいうネーション（nation）とは、共通の言語、文化、伝統を持つ共同体、国家（state）とは、領土、主権、政府を持つ行政組織としておこう。ブリテンはイングランド、スコットランド、ウェールズ、アイルランドの四つのネーションが歴史的に合併、分裂（一九二二年に北アイルランドのみブリテンに残る）してできた国家である。

ラグビー、サッカーに話を戻すと、一つの国家が四つもナショナルチームを出場させてブリテンという国は何をめざしてきたのか。その一つの回答にもなりそうなものとして歴史家リンダ・コリーの著書の一節を取り上げてみよう。彼女は、一九世紀初頭にブリテン内でのイングランドの支配性がはっきりとしてくると、ブリテン人であること（ブリティッシュネス）が急速にイングランド人であること（イングリシュネス）と同一視されるようになることを指摘している。コリーが引用する次の一八〇五年の発言にはこれが克明に表れている。

われわれがブリテンの臣民について語るときには、イングランド人、スコットランド人、アイルランド人を問わず、ブリテンの臣民をイングランド人とよぶのが普通です。したがってこの先、国王陛下の全臣民を指して、あるいは連合王国の全領域に通用するものとして、イングランド人という言葉を使ったとしても、反感を招かないことを期待します。(3)

これはイングランド人ではなく、スコットランド出身の議員の発言であることも注目に値しよう。この時期にブリテンの臣民がすべてイングランド人と呼ばれるようになると、それまではばらばらな帰属意識だったスコットランド人であること（スコティッシュネス）、アイルランド人であること（アイリッシュネス）、ウェールズ人であること（ウェルシュネス）は、一つのイングランド人であること（イングリッシュネス）に収斂する。こうなると「イングランド」

は「グレート・ブリテン」全体と同義語になってくる。

この意識は、ナポレオン戦争に対抗する上で、ブリテン人が結束性を強めることに貢献したが、その少し後には、イングランドの支配層には、各地域のネーション集団への忠誠はもっと高次の国民国家への忠誠の中に位置づけられ、それに収めてしまおうとの意図が見られた。この支配層が奨励しようとした意識を表す一例として、コリーは、一八一六年の同じくスコットランド選出の議員による以下の発言を引用している。

（イングランド、スコットランド、ウェールズ、アイルランドなどの）それぞれのネーションが有する独自性は、雄々しい競争の精神を奮い立たせる際、大いに有効である。……これらのネーションとしての違い、あるいは、いまはおそらく、イングランドの、スコットランドの、アイルランドの、ウェールズの、というように、各地域の違いと呼ぶ方がより適切であろうものを消滅させないのは、それが連合王国のためだからである。(4)

国家としてまとまる上で、地域間の差異は、通常、軋轢のもととなったり、障害となったりするが、これらがすべての地域人がいったん「イングランド人」と呼ばれて、国王陛下の全臣民、連合王国の全領域にそれが通用するものとなると、ネーション間の差異がブリテン全体の利益に利用される事態となる。これが、ブリテンがラグビーとサッカーの四つのナショナルチームを持っている理由を一部説明している。もちろんこの発言があったのは一八一六年でラグビーとサッカーの話はもっと後なので、時期的にはずれがあるが、基本的な構図はこの間で変わっていない。すなわち、一九世紀初頭まで、スコットランド人やウェールズ人はブリテン人であることをより誇りに思うかぎりにおいて、スコットランド人、ウェールズ人であることを誇りに思うことが公的に認められた。これがサッカーにもつながり、連合王国全体が強くなる限りにおいては、スコットランド、ウェールズの独自なナショナルチームの「雄々しい競争の精神」が認められることになった。

ワールドカップでのイングランドは、スコットランド、ウェールズなど比較すると、だんとつの成績を残している。イングランド、スコットランド、ウェールズ、北アイルランドの各地域を競わせて、ブリテン全体を強くさせる意図は、どうやら、ブリテン全体というよりイングランドのみを強くさせる結果に作用したようである。

(3) ユニオン・ジャックにはウェールズがない

私は、たまたまワールドカップがあった一九九〇年（開催国はイタリア）と二〇〇二年（開催国は日本と韓国）にオックスフォードとロンドンに在外研究のために滞在していた。オックスフォードの中心部とロンドン郊外の街の人々が、ワールドカップに出場していたイングランドを応援するために、家々の窓に掲げたり車になびかせたりした旗は、ブリテンの国旗ではなく、イングランドの旗であった。ところが、一九六六年にワールドカップでイングランドが優勝したときは、地元のロンドンの会場はユニオン・ジャック（ブリテン国旗は艦船の国籍を示すために船首に掲げた小旗（ジャック）を指すユニオン・ジャックと呼ばれた）で埋まっていたという。その後、スコットランド当局の粘り強い広報活動があったはじめて、イングランドのサポーターは適切なイングランドのセント・ジョージ十字旗を振るようになった。[5] 六六年当時はイングランドの旗とブリテンの旗の違いに気づいていなかったことになる。

ブリテンとイングランドの旗の区別はスコットランドの尽力で何とか可能となったものの、ウェールズの人々にとって問題なのはユニオン・ジャックにはウェールズが含まれていないことである。ブリテン国旗のデザインは、一六〇六年にイングランド（セント・ジョージ、白地に赤十字）とスコットランド（セント・アンドリュー、青地に白の斜め十字）の組み合わせで原型ができ、これに一八〇一年にアイルランド（セント・パトリック、白地に赤の斜め十字）が加わり、三カ国の旗を重ね合わせた今日のデザインとなった（カバー図版）。ウェールズは、国旗デザインの原型ができる一六〇六年のはるか以前の一五三六年に、イングランドに併合されていたため、ウェールズの旗にある白と緑の地に赤い龍のデザイン（カバー図版）は組み入れられなかった。

ところが、二一世紀の初頭になって、連合王国の象徴であるユニオン・ジャックが一九世紀の初頭以来、約二〇〇年ぶりに変わるかもしれない、との記事が出た。それは、国旗にデザインが採用されていないウェールズの不満を背景に、ホッジ文化担当閣外相が「変更を検討する」と語り、注目を集めている、というものであった。ウェールズの国会議員らは現行では三カ国のみの組み合わせのデザインなので「四つの連合国を表現するデザインに変えるべきだ」と訴えてきた。ホッジ文化担当相も「すべての国民が望むデザインを考えることはより大きな課題だ」と述べ、国旗変更の可能性を示唆した。[6] このニュースを追っていたところ、民間のデザイン応募機関には、日本からも応募があったようで日本のアニメのキャラクターが「赤い龍」に乗って、現行のブリテン国旗を振っているデザインが最終選考まで残ったこともわかった。[7] いずれにせよ、ウェールズは国旗のデザインからはずされてきた。しかし、この話はその後聞かれなくなり、「赤い龍」が国旗に組み入れられるかもしれないという話題は盛り上がらないままに立ち消えとなっている。

2　England と Britain の訳語

ラグビーやサッカーのファンを除いて、これまで、ブリテン国家がイングランド、スコットランド、アイルランド、ウェールズの四ネーションからなっていることが認識されにくかった理由の一部は、以上のようにイングランドがブリテンと同義語になったことが挙げられよう。これを当然視したイングランド人はもとより、スコットランド人も進んで同義語であることを認めようとした。

これはイングランド人やスコットランド人にとどまらず、実は日本にも当てはまる問題である。今から四〇〇年もさかのぼる一七世紀初頭に徳川家康がジェームズ一世（一六〇三年にこのスコットランド王はイングランド王を兼ねて「グレート・ブリテン」王を名乗った）への返書の宛先をどうしたらよいのかと三浦按針ことウィリアム・アダムズに尋ねた。アダムズは「国は一つで名は二つ」として、その二つの名を「イガラタイラ（ポルトガル語の Inglaterra、イングランド）」と「ゲレフロタン（ポルトガル語の Gran Bretanha、グレート・ブリテン）」と挙げた。宛先には「イガラタイラ（伊伽羅諦羅）」が採用された。(8) 家康がなぜこのとき「イガラタイラ」を選んだのかは分からないし、アダムズがあくまで「国は一つで名は二つ」と答えてなぜどちらか一つを勧めなかったのかも分からない。「イングランド」を勧めなかったのはイングランド人にしては控えめだったにしても、その代わりに、家康の最初で唯一のインフォーマントであったアダムズが「国は一つで名は二つ」と答えて以来、日本人によるこの国の呼称は混乱し、江戸時代に「イングランド」系と「ブリテン」系の呼称が合わせて一三九種も生じることになった。(9)

この国の呼称は今に至るまで混乱しているが、ここで問題とするのは、呼称の問題ではなく、England と Britain の訳語の問題である。実は訳語も混乱しており、少し整理すればよりむずかしい呼称問題を解決する一助になるかもしれない。Britain を England から区別する日本語については、先人もかねてから苦心してきた。川北稔によれば「Britain を England から区別する日本語がなかった」ので、明治期には Britain を「大英国」と訳した、という。そうであれば、合理的な訳語でもあったが、この「大英国」はあまりはやらず、すたれてしまった。(10)

「Britain を England から区別する日本語がなかった」のが問題だったとしたら、ここでは Britain を England から区別する日本語として Britain を音訳して「ブリテン」としたい。一方の England についても、ある翻訳者が言うとおり「これまで翻訳者は England, English の訳語にあまりにも無頓着すぎた」。この翻訳者は、基本的には Britain, British をイギリス（あるいはブリテン）（の）、England, English をイングランド（の）、という線に沿うのが無難ではあるまいかと提言している。その理由は、England, English を「イギリス（あるいはブリテン）（の）」とさ

れることに悪感情を抱く人（ケルト辺境の人々）が多々ある事実にも心をいたさねばなるまい、という。(11)

本書でもこれに賛同し、すでにこの序章でも試みているように、England（その形容詞 English も）は「イングランド」、Britain（その形容詞 British も）は「ブリテン」と訳す。ただし、Britain を「イギリス」と訳すのは避ける。この訳語は「英国」との訳語とともに、Britain と England の両方の訳語として頻繁に使われてきたものだが、いずれも Britain を指すのか England を指すのか不明だからである。しかも、原語が Britain なのか England なのか分からなくなることも多い。Britain を指すのか England を指すのか分からなく場合のある「英国」「イギリス」を避けて、Britain と England を「ブリテン」と「イングランド」とに訳し分けをするのである。単純な手法ながら「ブリテン」と「イングランド」に分けてナショナリズムを論じなければならない訳書でもいまだに訳し分けに無頓着な例もあるからである。(12)

3　イングランドや帝国とつなぐウェールズの歴史

ブリテンとイングランドの区別はもとより、ブリテンを構成するのはイングランド、スコットランド、北アイルランド、ウェールズであることも、ラグビーファンならばとっくに知っていることだが、以上のような理由からなかなか認識されなかった。ウェールズに限っても、シックス・ネーションズでは最大の優勝回数を誇るために、ラグビーファンにはよく知られた存在であるが、一般にはもっとも存在感が薄いとされたりしてきた。

本書が対象とするのは、国旗のデザインに描かれたイングランド、スコットランド、アイルランドではなく、デザインからははずされたウェールズである。ウェールズの内部に即した考察というより、イングランドとの関係の中でのウェールズの歴史に重点をおく。他のケルト辺境であるスコットランドは一六〇三年にイングランドとの同君連合があり、一七〇七年の連合法により併合され、アイリッシュ海を越えたアイルランドも一八〇一年に公式に併合されたが、ウェールズはそれよりもはるか以前の一三世紀に軍事的に征服され、一五三六年に公式にイングランドに併合された。

ウェールズを扱う場合、中世までさかのぼらざるを得ないために第一章では中世から一九世紀までの長期間を扱う。イングランドから見たウェールズのイメージの変遷をたどり、独自の言語、教育、宗教に触れながら一九世紀に行き着く。第二章では、イングランド＝ウェールズ関係史を考える手がかりとなるロンドン政府によるウェールズの教育調査をまとめた四七年報告書を集中的に分析する。言語を異にするケルト辺境の民が住むウェールズを取り上げるために中心となる問題は言語問題であり、それがもっとも直接的にあらわれるのは教育の現場である。第三章では、教室に向けられたミクロな視点から一転して、イングランドとウェールズとの関係へのマクロな視点に移行して四七年報告書を見直してみる。第四章では、その後のウェールズの反発とイングランドの対応を検討し、ウェールズのナショナリズムとイングランドの英語帝国主義の観点からまとめてみる。

第五章、第六章では、ブリテン国内を越えて帝国に向かう。スコットランドを併合したブリテンは一七〇七年以降、ブリテン帝国として北アメリカ、カリブ海、西アフリカ海岸などに植民地を築いた。一八世紀末にアメリカの一三植民地が独立した後、一九世紀には、帝国の至宝インドを中心として、帝国の辺境としてのオーストラリア、ニュージーランドといった島々、さらには一九世紀末にはアフリカも含む巨大な帝国を有した。イングランドをはじめとする四つのネーションはそれぞれこの帝国にも移民、貿易その他の事業に乗り出し、活躍の場を広げた。問題はこの国内と帝国の両者の関連である。今日ラグビーで南半球のニュージーランド、オーストラリア、南アフリカが強いのは、もとはと言えば四ネーションが南半球の植民地にラグビーを伝えて教えた歴史があるからである。

四ネーションの中でも帝国との関わりがもっとも看過されたのが、国旗に入れられなかったもっとも小さなウェールズである。第五章では、「スコットランドと帝国」や「アイルランドと帝国」に比べるとそれほど研究がなかった「ウェールズと帝国」を視野に入れ、ウェールズとインドやインド以外の植民地との関連を考える。第六章では、四つのネーションが相互に関連しながら帝国と関わった歴史を明らかにしようとする方法である「ブリテン帝国史への四ネーションアプローチ」の妥当性を吟味しながら、四つのネーションとそれらが構築したり構築しようとした四つの帝国、とりわけ、ウェールズが関わった帝国を検討する。本書全体のまとめともなろう。

第一章　中世から一九世紀までのウェールズ

1　中世から一六世紀まで

(1) ウェールズ＝異邦人

ウェールズはイングランドの東に位置し、面積は日本の四国（一八〇万平方キロメートル）より少し広い二〇〇万平方キロメートルで、現人口はおよそ三〇〇万を抱えている地域である。

ウェールズの中心都市カーディフには急行電車でロンドンのパディントン駅からわずか二時間弱で着く。一九九〇年にはじめてカーディフに到着したとき、あまりの距離の短さに驚いたが、着いて街を歩いてみると、通りの名前が上にウェールズ語で、下に英語の二カ国語表示のプレートで記されていることに、イングランドのすぐ隣でありながら、ここは「異国」であることを知らされた。

宿を取って、部屋に落ち着き、テレビをつけてみると、英語によるニュースが終わると、ウェールズ語とおぼしき言語によるニュースが読まれていた。ニュースも二カ国語で報道されている。博物館や美術館などをめぐってもあらゆるパンフレットが二カ国語で書かれていた。歴史上も多くの旅人がこういった異国性を求めて、イングランドからウェールズにやってきては、旅行記を残したりした。ここでは、そういった旅人の観点を生かしながら、イングランドとウェールズの関係を見ていこう。

まず「ウェールズ」という言葉自体も四世紀以降にブリテン島（イングランド、スコットランド、ウェールズからなる島）に侵入してきたゲルマン語で「異なる人」「異邦人」を意味する。自称ではケルト語で「カムリー」といい「自国」を意味するという。したがって、この地域の呼称は、自称重視でカムリーとするべきだが、ここでは慣例からウェールズと呼んでおく。

どんな旅人でも気づくウェールズの特徴は、このウェールズ語という言語とそれを話す人々の異民族性である。ウェールズ語はインド・ヨーロッパ語族の中のケルト語に属している。英語はこれとは区別されたゲルマン語系である。よく言われる「ケルト辺境」とは、スコットランド、ウェールズの他にアイルランドも含まれる。この「ケルト辺境」には言語も民族も違う人々が住んでいるというわけである。同じケルト語（中村俊輔が所属していた「セルティック」と同じスペルである。発音は人によって、セルティックと言ってみたりケルティックと言ってみたりするようだ）といっても、アイルランド島のケルト語とブリテン島のケルト語との距離は遠い。さらにブリテン島のケルト語には、ウェールズ語の他に、ケルノウ（コーンウォール）語、ブレイス（フランス、ブルターニュ地方）とあるが、これも現在では相互理解度がほとんどないほど言語的には距離があるという。

（2）「プリンス・オブ・ウェールズ」の由来

問題はウェールズ語を話す人々はいつどこから来たか、であるが、これは、長いこと紀元前六世紀頃の「ケルト人」のブリテン島へ到来との定説があったが、近年では、この時期の移住は認められなくなっているという。そうなると、それからかなり以前の前三〇〇〇年紀末に渡来した今日「ビーカ人」と呼ばれる人々が、前二〇〇〇年紀に使っていた言語がブリテン島のケルト語の起源らしい。いずれにしても、前一〇〇〇年紀には、この言語がブリテン島に広まっていたことは確かという。

その後のウェールズの歴史をイングランドとの関係から最低限確認すると、ローマ帝国によるブリテン島への侵攻とその支配（前一世紀半ばから紀元四一〇年まで）を経て、「ゲルマン民族の大移動」の一波としてブリテン島にやってきた「アングロ・サクソン人」のイングランドにおける勢力拡大を受けて、七世紀にはアングロ・サクソン人の土地としての「イングランド」が成立すると同時に、「ウェールズ」がいまのようなイングランドの端の土地に押し込められる形で地域として成立する。(1)

その後、一一世紀にはイングランドではノルマン王朝が支配し、ウェールズはイングランドの延長部分と見なされた。イングランドに隣接する国（country）としてのウェールズは、イングランドの軍事的安全のためにはイングランドの支配下に置かれなければならなかった。中世におけるイングランドによるウェールズの支配は、一二八四年のウェールズ法（リズラン法）で決定づけられた。これは、一二七二年に即位したイングランド国王エドワード一世が、「カムリー大公（プリンス・オヴ・ウェールズ）」のスィウェリン・アプ・グリフィーズとの二度の戦闘を経て、ウェールズの政治的な自立を完全に喪失せしめた布告である。征服した西ウェールズ（全体の三分の一）には、イングランドに倣った六州が設けられ、北のカナーヴォンと南のカマーゼンに、司法・行政・財務の中心拠点が設置され、イングランド人官吏が配され、イングランドの刑法が強制的に施行された。西ウェールズはイングランドの制度や刑法を強要され、イングランド化を余儀なくされた。この体制は一六世紀前半の連合（Union）まで続いた。(2)

そののち、一三〇一年に、エドワード一世は長男エドワード（後の二世）に、スィウェリン・アプ・グリフィーズが持っていた同じ称号の「プリンス・オヴ・ウェールズ」を授けた際、これらの地域をその所領（ウェールズ君主領）として授与した。この「プリンス・オヴ・ウェールズ」は「ウェールズの王子」などと直訳してしまうことがある

図1-1　チャールズ皇太子叙任式
（カナーヴォン城，1969年）

が、かつてはウェールズの最有力者の称号で、現在は王室の「皇太子」の称号の起源となっていることが、これで知り得よう。

もう少し触れると、イングランド王がウェールズを支配するのはウェールズ人の反発を呼ぶのは明らかなので、ウェールズ人の反感を和らげるために、長男エドワードに「プリンス・オブ・ウェールズ」の称号を授けてウェールズの名目上の君主とする。このために、身重の王妃を当時ウェールズ侵攻の前線基地であったカナーヴォン城に連れて行き、そこで王子を出産させ、ウェールズ生まれの子を世継ぎにする宣言となった。これ以後、イングランド君主の長男かつ王位継承者は、伝統的にこの称号を授けられるようになった。ちなみに、現在のチャールズ皇太子も一九六九年にカナーヴォン城で授与されている（図1-1）。

その後の中世のウェールズでは、東部・南部を中心にウェールズ辺境領主が権力を揮い、王権の介入を許さない一種の無法地帯を形成した。しかし、中世末期には、相続や没収により王権は徐々にウェールズ辺境領を王領地に編入し、ウェールズ辺境領府を設けて支配を強化した。イングランド王権では、ウェールズ人の血を引くヘンリー・テューダーが新たな王朝を開始した。イングランド王権にウェールズの要素が加わったことは、ウェールズ支配の正当化にもつながった。その子ヘンリー八世は、テューダー朝による中央集権体制を強化して、その一環として、ウェールズ併合を画策した。

ウェールズのイングランドへの併合は、一五三六―四三年における、一連の連合法により実現された。これによりイングランド化は全土に及び、ウェールズ辺境領の廃止、デンビー、モンゴメリーなど五州の新設、各州への治安判事の任命、裁判所の創設や裁判制度の調整などが定められ、行政や司法の公用語として、ウェールズ語が廃されて英語が使用されることになり、以後、ウェールズの文化や伝統に大きな影響を与えることとなった。(3)

2　ウェールズにおける伝統の創造

(1)「ウェールズの櫛」

以上の政治史や法制史などのオフィシャルな歴史のデータを最低限踏まえた上で、以下からは、ややオフィシャルではない側面、社会的文化的な視点から、引き続き、旅人の観点も生かして、イングランド人によるウェールズ観を見ていこう。(4)

ウェールズ人に対するイングランド人の態度とイメージは、イングランドによるウェールズ統治政策の変遷により、変化を遂げていった。戦争時に、ウェールズ人は敵対的で反抗的であるとの像が構築されると、ウェールズ人は悪魔のように描かれ、平時に戻って十分におとなしくなり従属的な民になったと判断されれば、保護の対象となった。

たとえば、一三世紀末のエドワード一世期の征服期には、ウェールズ人は何より敵対的な者たちとして悪魔のように描かれた。しかし、併合された後の一六世紀末まで来ると、イングランドの著述家はウェールズ人の貧困と英語の無知を書き留める。ウェールズ人は「英語の下手なほらふき」として登場するようになる。一六世紀末のウェールズ人の役割といえば、イングランド人を優越感に浸らせるだけのおもしろおかしい小作農となった。これは保護されるべきおとなしい人々として見なされた時期であった。

併合の後、ウェールズの支配層であるウェールズ人地主の息子は多く英語を学び、（当時ウェールズには大学がなかったので）イングランドに移住して、さらに経歴や教育を深めた。こういった支配層のイングランド化、ウェールズ語の棄却は、併合の後から二五〇年ほど経過した一八世紀末までかかったという長い過程であった。(5) ウェールズ語しか知らないことは、小作農、それも古めかしい世界観しかもっていない小作農の属性であるとの認識はこの間に定着していく。要するに、ウェールズ語と言えば小作農となり、ウェールズ語に対する侮蔑のイメージが決定的となった。

また、ウェールズ人であることはしだいに貧困や不潔と結びつくようになった。「ウェールズの櫛」とは本物の櫛が買えないので、指で髪を梳かすこと、「ウェールズの絨毯」とは本物の絨毯が買えないので、絨毯の模様を描いた煉瓦の床のこと、「ウェールズ人のバイオリン」とか「ウェールズ人の抱擁」とはしらみの引き起こす痒みで体をかくことであった。

民族性に言語、貧困、不潔が結びついてウェールズについてのイメージのパッケージとなった。この中でも言語に関するイングランド人の関心は、ウェールズ語をよりよく理解することよりも、その意味不明性に注がれた。今でも「それは私にはギリシャ語です」は「あなたの話す言葉が分かりません」を意味するが、一七世紀以後、イングランド人の発する「それはウェールズ語です」は「あなたの話す言葉が分かりません」を意味するようになり、一九世紀末に至っても同じだった。イングランド人にとり、ウェールズ語のもっとも重要な特徴はその意味不明性、わからなさであった。

一八世紀に入っても、ウェールズ語を侮蔑にするイングランド人旅行者著述家は引きも切らなかったが、『ロビンソン・クルーソー』（一七一九年）の著者ダニエル・デフォーもブリテン中を回ってウェールズにも触れた旅行記（一七二六年）で、人々には好意的な評価を下したものの「言語」は「野蛮」と評した。

（2）「伝統の創造」

デフォーあたりから、ウェールズはとりわけ、景観、歴史、文学がロマンティック（後のロマン主義）である国と見なされていく。こういった新たな見解に影響を与えたのが、イングランド人が書いた詩であった。バード（詩人）には適切な設定を必要とした。多くのイングランド人旅行者にとってウェールズは次第に沢山の景観（美しい風景）のあふれた場所と見なされるようになった。一七二七年に初版が出され一九世紀にも再版されたイングランド旅行者用の人気のあったウェールズ語文法書は「このあたりに滝はありませんか」という例文を載せてあった。景観が大して圧倒的ではなかったならだまされたと感じる旅行者もいた。カーディガン近くの丘が、思ったより「ごつごつ」しておらず「ずんぐり」した感にとどまっていたことに不満を述べたものもいた。

戦争と政治的混乱により次第に大陸ヨーロッパは伝統的なグランドツアーの行き先ではなくなった。これに代わりもっと近くて安全な場所であるウェールズ、スコットランドが急速に人気を集めた。百を超えるウェールズツアーの旅行書が一八世紀最後の四半期と一九世紀前半に出版された(6)。押し寄せるイングランドからの旅行者の期待を裏切らないためには、ウェールズ文化の再創造とウェールズをもっと見栄えよく魅力的に作り直す必要が決定的となった。景観を容易に変えることはもちろんできなかったが、すでに喪失された伝統が創造されることがあった。

これがいわゆる「伝統の創造」である。「伝統の創造」論とは、伝統を古くから連綿として継続されてきたものと見なすより、よく調べてみると、比較的新しい時期に、何らかの要請や主張や必要性により、創造されたものと見る見解である。

たとえば、ウェールズに来るイングランド旅行者は、伝統的なハープ音楽をしきりに求めた。実際は、この伝統はウェールズでは完全に途絶えており、一七世紀初頭のウェールズ音楽の楽譜は一九世紀のハープ演奏者にはまったく読めなかったし、一八世紀ウェールズの歌や賛美歌はイングランドから借りてきたものだった。しかし、強い

図1-2　ハープに合わせて歌う人々（1802年）

需要を前にすると、このような事情はあまり関係がなかった。これをうけて「真正の」ウェールズのハープ音楽が一九世紀の好みに合うように再創出され、（イタリアのバロック・ハープをもとにした）「真正の」ウェールズ・ハープによって、新たに作曲された「真正の」ウェールズ・ハープ音楽が奏でられた。これらが、古代の詩人が語る密やかな伝承の遺産の一部として流行し洗練されたものとして、提示された（図1-2）。

同様に「伝統的な」ウェールズの衣装も（再）創出された。これは南ウェールズの産業ジェントリ・スラノーファー卿でかつてロンドンの国会議事堂（ビッグ・ベン）を作ったベンジャミン・ホールの妻レディ・スラノーファー（オーガスタ・ホール）により、一七世紀にウェールズとイングランドで共通に着用された旧式のカントリー衣装の要素（一八世紀末いやそれ以降にも遠隔の山間地域で残存していた）をもとにして、一八三〇年代に創造された。この衣装は国民的シンボル――ときには国民的戯画――として急速に採用されるようになり、オーガスタ・ホールは公式行事に自ら着用して、女性の使用人にも着用を要求した（図1-3）。夫のスラノーファー卿は凝った衣装を着ることに興味がなかった。おかげでウェールズの男性は救われたという。(7)

（3）「真のウェールズ人」ではない

以上のような景観と文化（ハープ、衣装）は、イングランド人の関心の対象となるほど十分に「ピクチュアレスク」であるかぎりで認められた。景観が思ったほど「ピクチュアレスク」ではなく、旅行者の期待に沿わないと、貧しいウェールズ人が小銭をもらえないこともあった。物乞いをしている少年が「ピクチュアレスク」なほどのぼろをまとっていなかったという理由で金を恵んでもらえなかったのである。

こういった事態は、より弱い（ウェールズの）人々が文化的差異の証しを維持するのは、より強い（イングランドの）人々にとって受け入れ可能な仕方でなされるかぎりで受け入れられたことを意味した。この基準からは、イングランド人旅行者にとってもっと魅力的なウェールズの地域は北部と西部であった。ここでは景観と人々の両方が関心の的となるほど十分にイングランドの規範とは差異があったからである。

図1-3　ウェールズの衣装をまとったスラノーファ夫人

反対に、文化的劣位者である周辺の集団が文化的優位者の先入観に適合しない場合には、すでに述べたような不満や失望が表明される。一八二〇年代ギリシャ独立戦争期に、北ヨーロッパの知識人が、同時代のギリシャに実際に接触したときに、ギリシャの「栄光の遺産」のかけらも見せない人々に不快感を抱き、これは「真のギリシャ人」ではないと言ったのとまったく同じように、[8]多くのウェールズへの訪問者は、岩山の遠隔地域に居住する中世のウェールズの王子（そのお抱え詩人がハープの伴奏付きで韻を踏んだ詩で賞賛した）を「真のウェールズ人」と見なした。東南部ウェールズの汚く危険できつい労働に生活や健康を危険にさらす石炭や鉄鉱の労働者はそうとは見なさなかった。ギリシャとウェールズのいずれにも、過去の栄光と無視すべき現在には架橋できない溝があったのである。

イングランドの訪問者や役人にとって、東南部ウェールズは非詩的で敵対的ともなった地域であった。そこには炭鉱、鉄工場、不潔、「どろ」と「あか」があり、不安定で大きな労働者階級人口があった。東南部ウェールズのグラモーガン、モンマスシャーの両州では人口が一八二一年から一八四一年までに二倍に増大していた。(9) 彼らの多くは就職機会のないウェールズの他の地域、イングランド、スコットランド、(ポテト飢饉以後では) アイルランドから、やってきた。都市化、すなわち狭い地域に集中して居住する大きな労働者階級人口は、中流上流階級のヴィクトリア人の目には潜在的に危険な存在であった。この危険は彼らの多くが国教徒ではない (その多く、とりわけウェールズ人は非国教徒、アイルランド人の大半はローマカトリック) こと、したがってイングランド国教会が提供する社会秩序への忠誠心に欠けていた。くわえて、離反、謀反の潜在性は、彼らの大半は英語を第一言語としておらず、英語をまったく話さなかったことにもあった。

こういった階級、宗教、言語の差異は、イングランドの観察者にとって、いまや平時における、ピクチュアレスクで従属的な民ではなく、反抗的で敵対的な民と認識されるようになった。そして、この新しいタイプの社会が法と秩序に与える脅威はしばしば現実のものとなった。

以下、この脅威が現実のものとなった労働者たちの叛乱から、その原因を調査し、対応策も考えてみる一八四七年の報告書 (これが本書で考察の中心とするブリテン議会資料の一つで、以下これを「四七年報告書」とする) にいたる経過を叙述する必要があるが、その前に、ここで出てきたウェールズの宗教、言語を教育と絡ませて、この時期にいたるウェールズの状況を確認しておこう。

3　教育・言語・宗教

(1) 平日学校の種類

ブリテンでは階級ごとに受ける教育が違ったのでここでは限定が必要である。一九世紀の半ばのウェールズでも、ジェントリと貴族の子弟は幼少時に家庭内教育を受け、男子はその後学校に送られ、女子は引き続き家庭教師（ガバーネス）に家庭で教育を受け続ける。極貧層の子供も対象外となる。なぜなら、四七年報告書が示すとおり、彼らの親の貧困や無関心のためにフォーマルな教育は一切受けていなかったからである。

これらをのぞいたウェールズの貧民ないし労働者の子弟向けの平日学校の種類は四七年報告書が公刊された時点で以下のようになっている。①国教会学校（Church of England）、②非国教会学校（Nonconformist）、③カトリック学校（Roman Catholic）、④ブリテン学校（British）、⑤私塾（Private）、⑥救貧区連合学校（Union）、⑦会社立学校（Company）、⑧その他（Other）。

①はイングランド国教会が創設に関与し、たびたび「何々チャーチ・スクール」と記される初等学校で、この中では数がもっとも多くウェールズ全体の生徒数の四七・六％を占めた。②は非国教徒（ウェールズの場合、独立派、バプティスト派、カルヴァン派メソジスト、ウェズレー派メソジスト）が創設に関与した学校で、生徒数は全体の三％であった。③はローマカトリックの学校で全体の〇・三％である。

以上、宗派別に分類された学校で、以下からは宗派以外の分類基準となり、④は、非宗派的な原理に基づき「特定宗派に関係ない」とされるブリテン学校で、生徒数は一〇・八％を占めた。⑤の私塾は「プライヴェート・アドベンチャー（Private Adventure）」とか「デイム・スクール（Dame School）」とか呼ばれる私塾のような学校で、一七

―一九世紀を通じて、労働者の教育需要はこのような小規模で安価な私立学校が満たしていた。「プライヴェート・アドベンチャー」は、自分たちの家の一部を教室として使って、教員にも生計を立てさせようとしていた個人ないし家族経営の学校だった。「デイム・スクール」は「おばさん学校」とも訳され、一人の女性によって開設・経営された初等学校ないし私塾だった。この種類の学校は、全体の二六・七％で生徒数では①の国教会学校に次いで生徒がいた。⑥の救貧区連合学校は、救貧法当局が管理した救貧院学校で、生徒数は一・四％。⑦の会社立学校は会社経営者の博愛主義や労働者の基金調達により設立された学校で、全体の五・〇％。⑧は「宗派なし」や「不明」で特定できない文字通りその他の学校で、同じく生徒数は五・一％となっている。[10]

このうち、⑤は生徒数では二位を占めるものの、この時期のウェールズの教育・宗教・言語が絡んだ問題を見るには①と②④の対立が重要である。

（2）国教会と非国教会の対立

一九世紀初頭のイングランドとウェールズで、貧困家庭の児童に読み書きと算術を教え、宗教教育を施すことを目的に宗教団体によって設立された初等学校である「有志立学校（Voluntary School）」には、二種類あり、一つは、一八〇八年に非国教徒の貧困子弟を対象に設立された「ブリテン学校」と、もう一つは、一八一一年にこれに対抗して国教徒の貧困子弟を対象に開設された「国民学校（National School）」であった。

ブリテン学校、正式には内外学校（British and Foreign School）は、非国教徒の「内外学校協会（British and Foreign School Society）」によって設立され、ジョセフ・ランカスターの影響下に、彼の主唱する助教制度を取り入れ、読み書き算数のほか、聖書に基づく非宗派的な宗教教育を施した。ジョセフ・ランカスターはロンドンに非宗派原理にもとづく教育を提供する学校を一八一〇年に創設した。唯一の宗教テキストは聖書であり、宗教の教義やドグマの教育は厳格に禁止した。親は子が日曜日に行く礼拝所を選択できた。他の学校も同じモデルを踏襲し、助教制度と宗教教育における非宗派性ははっきりと効果を発揮し、これらの学校はウェールズの多くの非国教徒にとくに魅力的となった。

こういったランカスター・システムに対しては、国教会側からの反発があがった。国教会の有力メンバーは、組織的な反撃が効果的と判断して、一八一一年にイングランドとウェールズを通じた国教会原理による貧民教育推進の「国民協会（National Society）」を創設して、教育と宗教をめぐる闘争の新たな局面が展開した。目的はイングランドとウェールズのすべての教区に国教会の原理が教えられる学校を提供することであり、動機は、何もしないと、次世代に至って、自分たちが少数派になってしまうとの恐れであった。彼らは「国教会学校」である「国民学校」を設立して、読み書き算数の他、国教会の教義にもとづく宗教教育を施し、国教会の祈祷書や教理問答を教え、日曜学校の礼拝を義務づけた。これはランカスター・システムのブリテン学校とは対照的であった。

この両者は、国教会の教義を積極的に取り入れる（国民協会）か、拒否する（内外学校協会）かでの対立、世俗教育と宗教教育を一体化させる（国民協会）か分離させる（内外学校協会）かで対立した。また、一八三三年からの政府補助金問題でも対立した。すなわち、国教徒は政府補助金（公教育を援助する最初の年間補助金）の公的初等教育への支給に声高に抗議した。理由は、すべての宗派が同等に扱われるべきとしたからであった。実態は、当初から国教徒と連携した学校はそうでない学校よりも多くの資金を獲得した。たとえば、一八三九年までに国家補助金の約八〇％は国教会学校に行っていた。こういった不均衡にもかかわらず、非国教徒の学校がそれなりに資金を集めたという事実は国教徒側の過度の不安と恐怖を引き起こした(11)。

(3) 英語を教える、ウェールズ語を教える

このように、宗派や補助金にかかわる問題では、鋭く対立したものの、ある一点では、共通する側面があった。それは生徒に英語で教育することだった。

ウェールズでは一八五一年のセンサスで、礼拝に行く者のうち二〇%が国教会の宗教施設に、八〇%が非国教徒の宗教施設に出席していたという統計データがあるので、[12] 非国教徒地区でも国教徒学校がその地域で、唯一の学校になる事態も、とくに田園地帯ではありえた。そこでの、非国教徒の親たちの中には、英語で教育してもらうと、ウェールズ語で教育されるよりも子供たちが仕事の機会や社会的教育的上昇の機会に開かれると感じた者もいた。そして子供たちは、英語で教育を提供する学校に送られた。一八三一年に出現した、いわゆる「アイリッシュ・システム」は、世俗教育は一緒に受けて、宗教教育は宗派別にすることを可能としたので、両者の対立の一定の緩剤、解決策たり得た。

ウェールズ語使用地域の国民学校は英語の標準教材を使用しており、地域の子供の大半が第一言語のウェールズ語を話すという事実には考慮がいっさいなかった。ウェールズの子供たちは英語のテキストを声に出して学習し、教員や助教が積極的な対応策をとらないかぎり、それが意味するものはほとんど理解することなく、もっぱら暗記反復するのみであった。これでも、ウェールズの親たちは英語が子供の有利になるなら、将来の糧を獲得する過程では必要な苦行、必要悪と見なす傾向があった。

これらを裏付けるように、前記のいかなる種類の平日学校であれ宗派や非宗派を問わず、ウェールズ語のみで教えられている生徒数は一八四七年時点で①国教会学校の四六人と⑤の私塾の一七人、合計六三人で全体の〇・一%、ウェールズ語と英語の併用で教えられている生徒数でも一万三八八四人で全体の一八・〇%で、あとはすべて英語のみで教えられている。[13] このようにウェールズの平日学校では、住民の多くが信じる宗派とは異なる宗派の学校へ

その子供が通い、住民の多くが話す言語とは異なる言語で教える学校に圧倒的多数の子供が通った。

ところがこれとは様相ががらりと変わった学校があった。それが日曜学校（Sunday School）である。同じ四七年報告書からまとめた統計では、四七年時点でのウェールズの日曜学校は、①国教会学校（Church of England）、②独立派（組合教会主義）学校（Independent）、③バプティスト派学校（Baptist）、④カルヴァン派メソジスト学校（Calvinistic Methodist）、⑤ウェズレー派メソジスト学校（Wesleyan Methodist）、⑥その他（Other）となっている。国教会学校は平日学校と同様、日曜学校にもあるものの、非国教徒関係の学校は細かく分かれ、さらに平日学校と異なる点は、カトリック学校、ブリテン学校、私塾、救貧区連合学校、会社立学校というジャンルがない点である。

決定的に違うのは教授言語であり、ウェールズ語で教育される生徒は五五・六%、ウェールズ語と英語が二九・一%、英語が一五・三%となっている。宗派別の生徒数も、カルヴァン派メソジスト、次に独立派、国教会は三番目に位置するにすぎず、バプティストが続いている。また、一五歳以上の生徒が半分を占めている。もっとも収容規模が著しく大きく、生徒数の絶対値が二五万人と、平日学校の約七万人のおよそ三・五倍もあった[14]。

じじつ、一八世紀末から一九世紀におけるウェールズ労働者階級にとって、読める能力という偉大な贈り物を与えてくれたのは、教授言語をウェールズ語とする日曜学校だった。日曜学校は、ウェールズの労働者の社会生活や文化生活に重要な役割を果たし、社会的に重要となった。これ以前にウェールズ語を教授言語として採用して三カ月の短期間で基本的な読み書き能力を取得させるのに成功した学校には「巡回学校」があった。日曜学校はこれに替わるように出現したが、巡回学校（いまや本来の三カ月で巡回するのではなく、同じ教区に三年はいた）は「ビーヴァン夫人学校」の名で四七年報告書でもしばしば登場して触れられている。

ウェールズ語で教えた結果、宗教儀式とそれと関連するあらゆる社会的文化的活動がウェールズ語で行われ、ウェールズ語と分かちがたく結びついた。一方英語は、ビジネス、通商、公的世界やウェールズ以外の広い世界との接触といった生活領域では、有益な言語、いや不可欠な言語とまで見なされた。

ウェールズ語が使われる日曜学校の成功と重要性は、多くのウェールズ人にウェールズ語の将来に対する安心感を与えた。それがあって彼らは英語を使う平日学校を許容した。じじつ、日曜学校の設立にもっとも強く動いたのは、英語を使う平日学校の熱心な支持者だった。英語を基盤とした平日学校の設立と、ウェールズ語を教授言葉とした日曜学校の設立を目的とした運動。言語に関する限り、両者の設立の運動は一種の棲み分けができていたと言うべきか[15]。

4 ウェールズを調査せよ、四七年報告書への道

(1) 資金問題

国民協会と内外協会はともに英語教育をそれぞれの推進する初等学校の主要目的の一つとしたが、両者には、当初から、資金の多寡があった。国民学校には典型的に豊かで気前のよい後援者がいたが、ブリテン学校は中産階級の資金調達者に依存せざるを得なかったからである。このために、実際に設立できたブリテン学校は国民学校に比較してたえず少なかったばかりか、一八三三年に開始された政府補助金の条件により、さらに不利な立場に立たされた。というのも補助金は地域で寄進された自発的な寄付金の量に応じて配布され、そのために豊かな国教会地域により多くの補助金が配分されたからである。

この時期までに政府は教育補助金の配分責任を「枢密院教育委員会」と呼ばれた枢密院の新たに作られた特別委員会に与えた。委員会メンバーは全員俗人で、内務大臣、大蔵大臣を含むという事実から、この委員会の重要性がわかる。永代事務長は非政治家の官僚で、ジェームズ・フィリップス・ケイ（＝シャトルワース）だった。

ケイ＝シャトルワースと枢密院教育委員会は、アイリッシュ・システム（すべての宗派の子供の一斉教育）、国民学校へ視学官を派遣する権限をめぐり、国教会と対立した。これらの国教会の抵抗を眼にした非国教徒は、教育の国家支配は国教会に有利に働くと見た。

これをさらに深めたのは一八四三年の工場法で、その法案の一条項には、工場内学校（前記の会社立学校）の運営団体は、国教会聖職者を含む国教会で、教員は地元の主教による認可が必要、シラバスも国教会教義の教育を含むとされていた。この条項により国教会教会に与えられるかのような教育への支配権は非国教徒からの激烈な反発を呼び起こし、その抗議は五一年の宗教センサスで八〇％が非国教徒の礼拝所に出席していたウェールズでとりわけ声高だった。結局、この条項は法案から削除されたが、それが引き起こした煽動により、ヴォランタリズムと呼ばれる、あらゆる国家の援助、したがって国家支配を拒否する教育運動がますます刺激された。

内外協会からはヒュー・オーウェンという改革者が登場して、一八四三年に調査に乗り出し、ウェールズでの非国教徒の子供に対する効果的な初等教育の欠如に驚愕し、ブリテン学校の設立を提案した。これを受けてブリテン学校は北ウェールズで、四六年末までに四三校までに増加した。非国教徒には、ウェールズのこれまでの教育施設では不十分であり、オーウェンが先導する新たな学校建設により教育の機会が拡大し改善されるとの希望があった。他方、国教徒は国民学校が国教会との連携から得た優位性を維持するために奮闘していた。

一八三三年以後、両者はともに政府から援助を受け、視学官を受け入れた。枢密院教育委員会は、よりよき制度は教室、教員、教員養成施設、資金が必要であると実践面での改革を意図していた。この時期までに、ケイ＝シャトルワースは、教員を効果的に訓練しキャリアを積み上げる制度、最後には年金を供給するプランを建てたり、二五人学級も構想していた。

国教徒と非国教徒、国民協会と内外協会、政府、枢密院教育委員会、これらの関係者たちがすべてが対立して相

図1-4　料金所を破壊するレベッカ

争いながら一点では、同意していた。それは、ウェールズにおける労働者階級への教育施設の効果的再組織が可能となるように、あらゆる局面を「全体的に知る」必要性の認識であった。これが一八四七年の大々的な調査に結びついた。しかし、問題は、これらの関係者のすべてがこのような再組織化が自分たちの望む教育制度を獲得する機会と見たことであった。すなわち、すべての人が違うことを望んだことであった。したがって、後々まで対立点は解決されないまま、尾を引いていくことになる。(16)

(2) 労働者の叛乱

四七年の調査に結びついた前史としてはもう一点指摘する必要がある。それは急速に増大していたウェールズにおける労働者たちの反乱であった。一八〇〇―〇一年には、食糧価格高騰への反乱、一八一一―一二年には、最初の労働組合が出現し、一八一六―一七年には賃金削減反対デモがあり、一八二二年には鉄鉱労働者のストライキが発生している。一八三一年のマーサー蜂起は、賃金削減や市政の不正に対する抗議から始まった反乱で、市の中心部が四日間占拠され、反乱者は、軍隊と市民軍に対抗した。

南西部ウェールズでは、一八三九年と四二―四三年に、小作農たちが聖書にちなみ女装して有料道路の通行料取立所を襲撃し、破壊したレベッカ暴動が起きた（図1-4）。農業の不振、高率の地代や地方税、三四年の改正救貧法に対する不満などが背景にあった。人々の支持を得たので、多くの場合、暴動は一時的に成功したが、四三年六月の暴動ののち、軍隊とロンドン警察が投入されたために、次第に下火となる。しかし、抗議の力や何度も生起し

図1-5　チャーティスト暴動（ニューポート，1839年）

たという事実により当局の権威は縮小した。

一八三九年一一月には南ウェールズのニューポートで、チャーティスト暴動が起き、軍隊と群衆が衝突して、軍隊が発砲し、チャーティスト側に二〇人以上の死者が出た。ニューポート蜂起である（図1-5）。これはもっとも短時間で終わったが、権力者にとってはもっとも警戒すべき蜂起であった。他の抗議は、日常生活、仕事、賃金への不平から起きたが、これはチャーティスト請願に基づく政治的目的の支持から起きたからであった。イングランドの当局者にとって、政治目的のために暴力の使用を準備したり、効果的かつ秘密裏に訓練を受け組織化された労働者階級の共同体は、悪夢に他ならなかった[17]。

そこで、政府はこれらの騒擾の原因の究明に乗り出し、関係地域の雇用と教育の調査を行い、その結果としての報告書がいくつか公刊された。それぞれの報告書のメッセージははっきりしていた。それは、イングランド側が抱いた、ウェールズ人は従順なブリテン臣民であるべしとの期待とは、二つの点で、危険なほどかけ離れているというものであった。

一つは宗教であり、ウェールズ総人口のおよそ四分の三が非国教徒という事実は、国教会以外は何でも危険と見なす態度にとって大きな不安材料となった。もう一つは、言語であり、ある報告書は「人々の社会状況に影響を及ぼす要因の中でも、とりわけ、この国のかくも広く拡がった英語の無知は見過ごせない。……その不便さは、多くの法や制度が効果的に機能していく際の深刻な障害となって、実際に感知されている[18]」と報告された。ニューポート蜂起では、治安判事は密告者のネットワークを形成できなかった。その一因は言葉の障害だった。

この報告書を執筆したイングランドの観察者が、ウェールズの労働者階級の教育に何より必要と考えたのは、より教育を受け権力を持つイングランドの人々によって配分される社会の位置をウェールズの人々が知り、これを受け入れるように彼らに教えることに他ならなかった。上下階層秩序（ヒエラルキー）の認識である。この思考方法にとって、英語をウェールズ人労働者階級に教えるのは彼らをもっと「従順の民」にするための方法だった。

これらの公文書はウェールズの教育の欠如を強調した。一八四四年で、南ウェールズの四五％の既婚男性、七〇％の既婚女性は書けず署名もできない。北ウェールズではそれぞれ四一％、六六％である[19]。英語の知識の欠如は、この問題に加わり、そして、こういった広範な無知は、その必然的な結果として社会的道徳的秩序の危険を増大させる。

（3）英語は「文明への道」

ウェールズ人をこういった危険に導かないためには、大きな政府主導の努力が必要とされたことは明らかだった。一八四六年三月一〇日庶民院でのウィリアム・ウィリアムズの演説は、政府によるいままでよりも大がかりで詳細で総括的な調査、すなわち一八四七年の調査を履行する理由を示す。ウィリアムズは、当時コヴェントリ選出議員で、選挙権の拡大や秘密投票のような選挙改革を支持する急進派の政治家だった。彼は、貧しいウェールズ語使用地域のカーディガンシャー、スランパムサントで少年時代を過ごし、ロンドンに出て、最初反物屋で働き、のちにリンネル、綿製品の卸売業で財をなしたという立志伝中の人であった。商売の成功は英語を学んだためと考え、同郷人も同じ道をたどる機会が得られるように望んだ。

彼の演説は、支配階級の観点から同時代の状況を分析している。すなわち、英語は「知識にいたる唯一の道である……それは改善と文明への道である」、ウェールズ人に英語を教えるのは「貧しいウェールズ人に教養の知識、文明生活の慰み」を広めることになろう。「それは彼らの美しい国の見栄えをよくするとともに、彼らをより幸福で、従属しない、優位に立つ人々にするのである」と述べて、ウェールズ人労働者階級に英語の知識を与えると法と秩序の維持のためになる、との利点をはっきり説明した。レベッカ暴動の記事を引用しつつ、以下のようにも述べた。

彼ら（ウェールズの人々）は、今のように口先だけの宗教と心に邪心を抱く腹黒い偽善者の餌食にならないで、英語の知識が与えられ、適切な教育を受ければ、世界でもっとも平和的で繁栄するばかりか幸福な人々になりうる。

彼は過去一〇年の公的報告書から引用しながら、教育は従属的な住民を作るのに、武力の行使よりも安価で容易な方法であると論じた。「教員の感化力は銃剣よりもこの民を統治するのに経済的で効果的な道具である」とも付け加えた。ウェールズにおける教育の政府主導での再組織化は、「経費がいくらにしても、軍隊、警察、刑務所にかかる経費に比べれば一〇倍は節約できる」と効果的経済的であると宣言した。

演説で伝えようとしたことははっきりしていた。調査はウェールズにおける現行の教育施設の顕著な欠陥を発見し、教育改善を勧告するためだった。目的は、これまでと一貫して、法と秩序の維持だった。演説では、ウェールズ人はスコットランドやアイルランドが享受しているような国家からの援助や注目を受けてこなかったために、教育における不利益を被っており、この不均衡は正される必要がある、とも訴えた。[20]

ウィリアムズ演説は、このようにウェールズの法と秩序の維持のための英語教育の必要、援助金要請から、直接的に四七年調査を促すことになった。四六年夏の混乱（穀物法廃止をめぐる保守党の分裂、内閣総辞職など）を経て、秋までに調査委員が任命され、調査の準備が整った。[31]

第二章　ウェールズの辺境、英語が飛び交う教室空間

1　報告書の準備

（1）調査委員を任命する

ウェールズの教育、とくに「労働者諸階級が英語の知識を獲得するために与えられている手段」を調査した政府報告書が「ウェールズにおける教育状態の調査委員会報告書」(1)と題されて一八四七年に出版された。

第一部は、南ウェールズ（モンマス、グラモーガン、カマーゼン、ペンブロークの各州）、第二部は、中央ウェールズ（ラドノー、ブレックノック、カーディガンの各州）、第三部は、北ウェールズ（フリント、デンビー、モンゴメリー、メリオス、カナーヴォン、アングルシーの各州）をそれぞれ対象とした。任命された三人の調査委員は、このように三分割されたウェールズ（図2-1）のそれぞれの地域を担当した。彼らは、ウェールズ語の分かる通訳兼調査助手を従えて、野山を馬で精力的に駆けめぐって、学校を訪問しては報告書を書いた。そのデータを集積し、分析し、総括して、一八四七年四月一日に出版したのが前記の報告書であった。内容は、文字通りウェールズの教育状態を徹底的に調べ上げたもので、ウェールズの不十分な教育事情と英語の知識水準の低さを反論の余地のない、客観的な事実として示

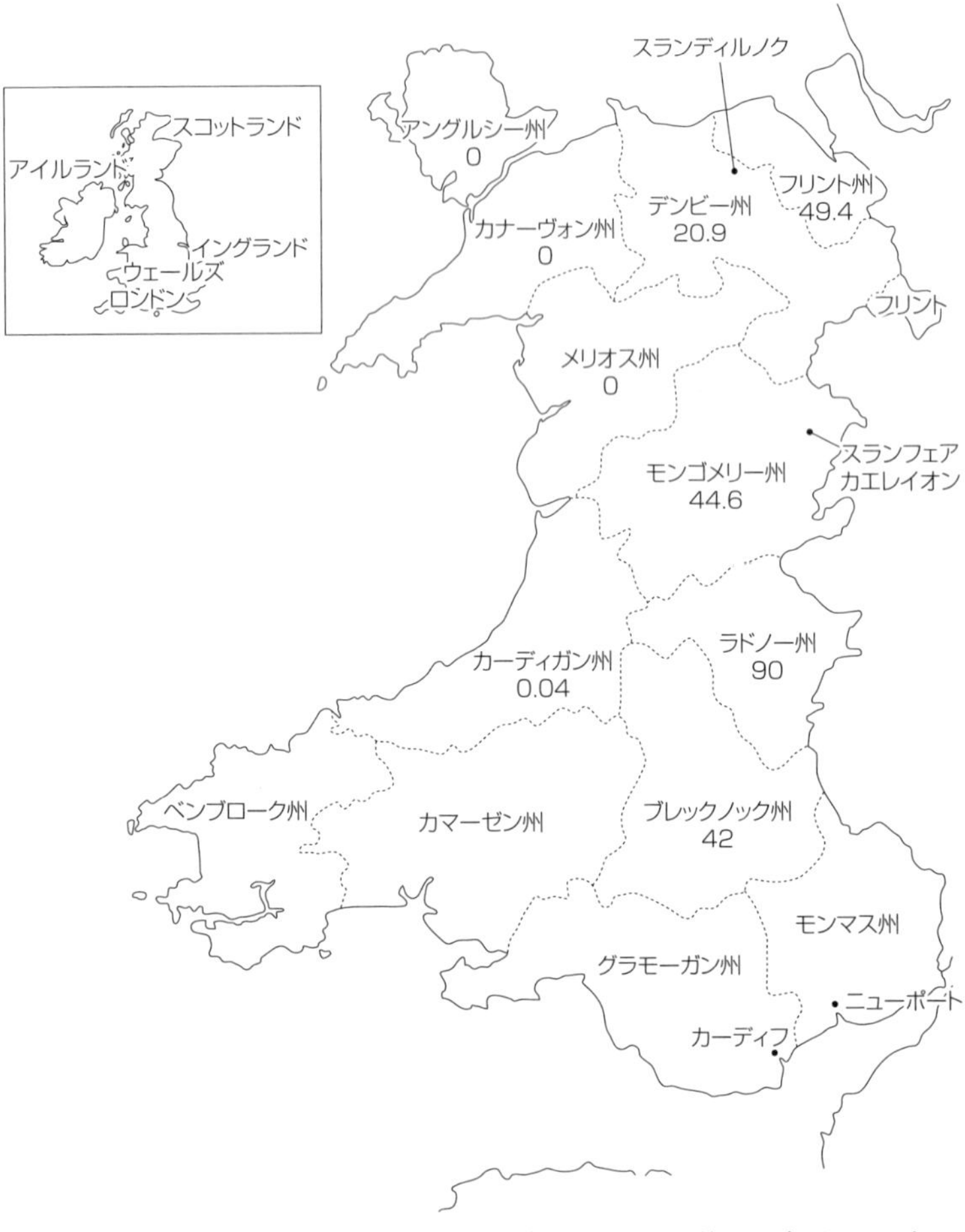

図2-1　ブリテン全土（囲み地図）と連合法（1536年）以後1974年までのウェールズの各州

註：各州名下の数字は住民の1846年段階での英語使用率（%）.

そうとしたものだった。

枢密院教育委員会永代事務長ケイ＝シャトルワースからウェールズの教育状況の調査を命じられたのは、リンゲン、サイモンズ、ジョンソンという若い法律家か法律家の卵である。ラルフ・リンゲン（一八一九―一九〇五年）は、成績優秀で数々の奨学金を得てオックスフォードを出て、一八四一年からベイリオル・カレッジのフェローとなり、法廷弁護士の資格を得たのは報告書が出た直後の一八四七年五月で、二八歳だった。ジェリンガー・サイモンズ（一八〇九―一八六〇年）はケンブリッジを出た後に、一八四三年に法廷弁護士の資格を得ていた。調査時点で、他の二人とは一〇歳年上で、三〇代中ばの三八歳であった。H・V・ジョンソン（一八一九―？）が同じ法廷弁護士の資格を取ったのはこの一年後の一八四八年であった。

報告書の後の経歴は、リンゲンは、一八四九年に永代事務長を過労でやめたケイ＝シャトルワースの後任となった。弱冠三〇歳であった。その後一八七〇年に大蔵省事務次官となり、一八七八年にナイト爵位を得て、一八八五年にはそれが貴族の爵位に格上げされた。他の二人はこれほどめざましい経歴は持たず、サイモンズは、報告書を読んで感銘を受けた枢密院議長ランズダウン卿の推挙を受けて、一八四八年救貧法学校視察官となり、一八六〇年の死までこのポストにあった。ジョンソンは、法廷弁護士として不動産譲渡顧問の仕事をしていたが、大蔵大臣の娘と結婚してからは、この義理の父の秘書となり公的な場所からは姿を消した(2)。

彼らは、共通してオックスフォード、ケンブリッジ出の法律家という専門職につき、その後、ジョンソンをのぞいた他の二人とも一八四七年のウェールズ教育報告書を契機に教育関係の官僚として名をなした点で、同じ官僚のケイ＝シャトルワースの経歴ばかりか、本書の第五章で検討する、インド人への英語教育を説いた『教育覚書』のマコーリーの官僚としての経歴とも重なる。この一点では彼らは同時代の同じ知的環境を生きていたと言える。『教育覚書』が出た三五年段階でマコーリーは三五歳、ケイ＝シャトルワースは三一歳、その一二年後、ウェールズへの英語教育の詳細を記した報告書が出た四七年段階で、ケイ＝シャトルワースは四三歳、調査委員のリンゲンとジョンソンが二八歳、サイモンズが三八歳である。第五章で見るように、同じ四七年にケイ＝シャトルワースはアボリジニー、マオリ、解放奴隷への英語教育を目標に掲げた書簡も書いていた。ウェールズというイングランド以外のケルト辺境地域およびそれよりはるかに広いインドや植民地を含む「帝国」の言語の英語化がこれらの若き法律官僚たちに担われた点も、共通の知的環境と言える。

報告書を書いた三人は、同時代の知的環境ばかりか、法律官僚としての中流階級に属していること、英語を話すイングランド人で、ウェールズ語は一言も話さなかったことも共通である。また後に見るように宗派は国教徒であった。報告書という客観性を重視される文書ではあっても、こういった出自や修めた学問や階級、経歴や職業、宗教や言語などが反映されることがあり、これらの制約を完全に免れることは困難である。

それどころか、中流階級出身であるために労働者の生活を皆目知らず、教育調査といっても労働者を教えた教育経験はいっさいなく、国教徒ゆえに非国教徒の日常を知らず、英語しか話さないためにウェールズ語を一語も理解せず話さず、と、当初からウェールズの教育事情の調査委員として彼らほど不適切な者もいなかった。これらの点は、以下からの彼らによるウェールズ報告を見るときに念頭におくべき点である。

（2）ウェールズ人の助手を雇う

イングランドとウェールズの間を媒介する集団への関心という観点から興味深いのは、調査委員よりもその助手を務めたウェールズ人の方である。

イングランド人の調査委員がウェールズで調査をするにもウェールズ語は一言も理解できなかった。そこでウェールズ語を話すウェールズ人の助手が雇われて、調査に同行した。調査委員への指示書には「地域によってはウェールズ語の知識を持つ人物の通訳を利用すべきである」[3]と記されていた。したがって、ウェールズ語を話せないイングランド人調査委員のための通訳としての助手の資格は何よりもウェールズ語を話せることであった。

また、たった三人のイングランド人の調査委員では、ウェールズのすべての教区、すべての学校に行くのは時間的にも困難だった。そこで助手が調査委員に同行せず、単独での学校訪問も任された。実際、三人の調査委員は主要道路から少し離れた町や村の学校を訪問したが、助手は、しばしば入っていくのが困難な僻地の学校への訪問を一任された。助手は、ひどい天候のもとで（ウェールズの一八四六―四七年の冬はとりわけ寒かった）、粗末な道路を馬に乗って学校訪問をした。

助手のリクルート方法は以下の通りである。まず、調査委員は、イングランドのヘリフォードにいる国教徒の司教に相談し、司教から適切な候補を探すとの「親切な助言」を得た。ついで、この司教は、ウェールズはランピーターにある、国教徒の聖職者養成学校であるセント・デイヴィッド・カレッジをリクルートの場とすることを示唆し、その校長に学生を選抜してくれるように紹介状を書いてくれた。

このように助手たちは、イングランド人の調査委員と調査の対象となるウェールズ人の間に立つ調査を進めるので、まずウェールズ人でありながら英語が達者であること、ついでウェールズ人でありながら国教徒たること、すなわち、イングランド化を遂げた人、イングランド人調査委員に反発しない、イデオロギー上、穏当な人物であることがもとめられた。

助手の雇用期間は長短あったが、調査委員はのべで一〇人の助手を雇った。このうち七人まで国教徒であり、五人までセント・デイヴィッド・カレッジの学生であった。ウェールズの人口の七五％までが非国教会の礼拝所に行っていたこの時期では、一〇人中七人までが国教徒（しかも一人は三カ月のみ、もう一人は数日でやめている）というのは、ウェールズの宗派別分別の割合とは正反対の割合であることを意味した。

この点は後に批判者のエヴァン・ジョーンズ（教員にして非国教会の独立派牧師）から、英語の知らないフランス人がぞんざいな英語しか書けないパブリック・スクールの生徒を助手に使って、イングランドの教育調査をするようなもので、ロンドンの枢密院教育委員会はいざというときには責任を免れることができた、と非難されることになった。(4)

（3）助手の微妙な立場

助手の一人デイヴィッド・ルイスがスランパムサント（このウェールズの教育調査を促した国会演説をしたウィリアム・ウィリアムズが栄光の経歴を開始した村）の初等学校での視察のあとに認めた、ある報告文(5)は、ウェールズ人助手がおかれた微妙な立場を浮上させる。

この短い報告文では、教員はルイスが「ウェールズ語を知らないと思いこんでいる」こと、ルイスの英語での偶像崇拝に関する質問を英語からウェールズ語に翻訳して子供に聞き、子供の回答をウェールズ語から英語に翻訳して、ルイスに「子供は理解している」と伝えたことが記述されている。しかし、本当は、子供は偶像崇拝について知らず、そのまま「知らない」と答えていた。ルイスはウェールズ語が分かるので、このやりとりはすべて了解しており、この教員は自分を「だました」と記述した。

教員の立場は、生徒の無知は自分の教え方の問題ともなりうるので、政府の調査委員の助手にはなるべく知られたくない、だませるものならだましたいというものだった。ルイスの英語がうまかったのか、英語からも、外見からも、教員はこの助手がウェールズ人であることは直ちに判断できなかった。ウェールズ人と分かっていれば「子供は理解している」としたとは言わなかった。

ただし、ルイスは、自分がウェールズ語の質問も回答も分かる人間であるとは教員にも子供にも明かしてはいない。それを明かそうとすれば，自分の立場の厄介さ微妙さに直面することになったからである。

ウェールズ人の教員と生徒にとり，助手は調査委員と同様な政府の権力の担い手である。一方，助手は，ウェールズ人の教員と生徒とはウェールズ人として同胞なのに，ウェールズ人であることを明かさないまま，権力の立場を維持した。それを明かせば，権力の位置にある自分の立場が失われるとでも考えたのであろうか，最後まで英語しか分からないように振る舞い，報告書には教員が自分を「だました」と書いた。

結局は権力の側に立つことを選んだ助手たちは，上司の調査委員と似た行動を取ることがあった。ルイスは，非協力的な生徒に一ペニーを与えて回答を引き出そうとした。これは上司のサイモンズがしていることの模倣であった。もう一人の助手Ｄ・Ｂ・プライスは，当時農業労働者の二日分の賃金であった二シリングもあげていた。調査委員と助手はその行動が似ていたばかりか，ジョン・ジェームズに見られたように清潔感も共有していたし，こんなに「清潔できちんとした少女」がアルファベットもキリストも何も知らないなんて，と報告して[6]，清潔さと知識を直結させる発想も同様であった。

ただし，行動様式が似ていたとは言っても，それはあくまで助手側からの一方的な模倣であり，調査委員の立場からは，助手は自分たちと同等ではなく「仲間」でもなかった。イングランド人調査委員にとって彼らは，調査委員の管理下に置かれつつ，この調査の重要ではない部分を一部担当するが，依然として「他者」の位置にあるウェールズ人であった。

(4) 裏切り者

上司を模倣する助手たちの中でも，北ウェールズのかなりの学校を回った助手のロンドン生まれのウェールズ人国教徒ジョン・ジェームズは，後々まで語られることになった特筆すべき人物であった。

後の批判者から、言語の無知というより、単なる無知（生徒が算数の答えができているのに「間違っている」と書いたり、「オーストレイシア」を構成する地域を言い当てたのに『知らない」と非難した）と、指摘されたジェームズは、学校の視察にあたって、放課後まで学校の外で待ち、その後、学校に入って視察した。暗くなってからだったので、生徒が落ち着きがなくなっていた。ジェームズはこの事態をつかまえて「教員は秩序を保てない」との悪意のあるコメントを書いた。

ジェームズはたびたび質問を明瞭に言わなかったので、生徒は質問を誤解した。教員がその誤解を正すと、生徒は正確に答えた。しかし、ジェームズはこれを生徒の誤解のみ記録し、正答を記さなかった報告書もあった。また、学校によっては、生徒や教員が彼に敬意を示さない場合には、「俺がその気になれば、貴様の学校をつぶすこともできるんだぜ」といったギャングまがいの捨てぜりふを吐くこともあったという(7)。

学校ばかりではなく、ジェームズは同胞であるウェールズ人の住居を訪ねては、「汚れで黒くなった老人」がいたとか、「この雰囲気は耐え難い」、この家は人間が住むのに適さない」などと露骨に批判的感情的語彙を使って報告した。身体に関して「不潔」「汚い」の語彙を多用し、ウェールズ人の「極度に低い」道徳心、道徳的な堕落、魔術や魔術師を信じる迷信の徒であることの証拠を地元の牧師、地主から引用した(8)。

これらのジェームズによる同胞への非難、明らかな偏見は、一部報告書にも現れたが、その多くは後にルイス・エドワーズによって明らかになったものである。このために、彼は同胞から恨まれ嫌われた。一八五一年に三五歳で死亡したが、その時は一八四七年の報告書の引き起こした傷や怒りの記憶もまだ新しかった。彼の葬式のおり、群衆の一人が前に駆け寄り、棺につばを吐いて叫んだ。「ここに埋められるのは自分の国（カントリー）への裏切り者だ」。

もちろん、こういった話自体が作り話の可能性もあるが、その信憑性はどうあれ、死者にむち打つ行為というか、葬式に絡む社会的タブーがかくも無惨に破られている事態は、ジェームズによる報告書の既述がウェールズ人に招いた怒りと辛さがいかに深いものだったかを示すことは間違いない[9]。

ジェームズの例が示すように、助手のうち、報告書を書いて人気がでた者は誰一人としていない。多くのウェールズ人にとって、助手は敵側に走ったと見なされた。要するに、助手たちは、マコーリーがインドの『教育覚書』で述べた「通訳」階級の人々（血と言語はウェールズ人で、「趣向、意見、知性はイングランド人」であるような）だったのである（第五章、参照）。

2　罰札、ウェールズ語の札

(1)　総括報告と学校訪問記録

以上、調査委員、助手とこの報告書の作成に関わった人々の思考パターンや傾向を検討してきたが、今度はこの報告書の内容そのものに立ち入ってみよう。

調査委員と助手は日々各地の学校を訪ねては宿に帰り、当中にその日に訪れた学校について様々なデータを詳細に記した学校訪問記録＝証言録（minutes of evidence）を書いた。この学校訪問記は学校の各種データを学校の種類別に表にしたもの、調査票への回答、その他をまとめて補随とした。調査委員はこれらの証言やデータをまとめて総括報告（report）を書き、補随と合わせて公刊した。

この三人の調査委員による総括報告の目次＝調査と報告事項は、三部の北ウェールズの巻では、一部、児童教育の状態、①校舎、設備、②教員と教育方法、③視察――管理と学校組織、④生徒と達成度、⑤欠陥教育の原因、二部、成人教育の手段、三部、成果――全般的知性と文明、となっている。ここまで七〇頁近くあり、これに四〇〇頁近くの前記からなる補随が加わる。

この中で重要なのは、調査委員による総括報告と助手（および調査委員）による学校訪問記である。総括報告は訪問記より高次の位置にある。ここで、以下とつなげるために、この総括報告と学校訪問記との違いを、興味深い一例から、具体的に見ておこう。

まず調査委員による総括報告では、牛舎から牛が追い出された後に生徒が英語を学ぶためにそこに入っていく情景が目に浮かぶような記述となっている。

カーディガンシャーの人里離れた地域、スランウェノグ教区。そこでは、牛が牛小屋から追い出されて、生徒と教員にその場所が譲られているのを目撃した。この教員は話せないばかりか読めもしない英語を生徒に教えようとしている。(10)

ところが、これは以下のやや詳細な学校訪問記録とはやや様相を異にしている。

スランウェノグ――ペンター・リス・アドベンチャー・スクール。

一〇月二六日、助手のルイス氏と、この学校を訪問。本校はこの教区からスランウネンに抜ける迂回路の脇に立っている。本校はウェールズの貧民階級が切実に英語を学びたいとの希望の証拠をまざまざと提供している。ここは貧民が居住する荒涼たる田舎にあり、彼らの教育努力には近隣の地主からの援助がまったくない。校舎はもともと牛舎だったものが、教室に転換された。床の舗装の修理はなされておらず……でこぼこ状になっている。床の大きな石で椅子を支えている。壁は泥で、屋根は朽ちた茅葺きである……二つしかない窓から、明かりを入れている。戸は穴だらけで、この寒さや湿気を防ぐのに火とか暖炉はない。地面は屋根からの雨漏りで濡れて泥っぽい。この土地の粗末な服を着た一八人もの不格好な少年少女が壁に沿った椅子に窮屈そうに座っていた。あとは二つのテーブルと教員用に椅子があり、これが教室の備品のすべてである。子供たちは教科書を手にして、全員声を出して読んでいた。教員は貧相で飢えかけているような男で、棒を手に持ってわれわれの前に現れた。われわれが巡回していると聞いていたので、この訪問は予期しないことではなかった、と彼は言う。一番できる生徒を八人呼んで、いつも通りの授業をしてくれと頼んだ。彼はかなり躊躇し、テモテへの手紙二の第一章を英語で読むように生徒に言った。ウェールズ語はこの学校では教えていない。生徒はきわめて不完全ながら一行ずつ読んで、あちこちで間違った発音もあったが、教員は正そうとはしなかった。彼は英語自体ほとんど知らないように思えた。発音も正しかったし、アクセントもよく、たいていのイングランドの村々よりもよほど純粋なアクセントだった。教員が言うには言葉の意味の説明はしたことがなく、読んだ後は綴りとなる。教員が試みる唯一のことは、自分の知る英単語の意味をウェールズ語で教えることのようだ。これがいつものことかどうかはわからない。英語の意味を教えられたとたんすぐ覚える子供はたいていの単純な英単語をウェールズ語に訳せるが、英語を習うのはここまでだ。gospel は condemnation と生徒は誤解していたが、Son, Father, prayers, lands などは知っていた。しかし、機械的に聖書を読んでいてもその内容の理解というと何もなかった。これが本当かどうか確かめるのに、ルイスに通訳を頼んで質問し、彼らの知識を試験した。本当に知識を絞って答えてもらうために、正解が出ればその都度一ペニーやることを約束した。これはこのような学校で徹底して視察を行う唯一のまっとうな手段である。七人中六人がキリストが誰か知らない。罪人を救うためにこの世を来訪する善人について聞いたことがない。八人目の女の子がようやく、主と神の息子を知っていた。主が現世にいるのかいないのか誰も知らない。別の国を挙げよ、と言ってもわからないし、一年は二〇〇日というし、月の名前も知らない。三六ペンスが何シリングになるのか、七掛ける八も知らない。

このようなもっともありふれたことすらわからない。書こうとしている子もいたが、この学校の唯一の目的は英単語を単に読む力を教えること。それを理解しながら読むようなことはしない。これらの学校は、考える教育や言葉の意味を教える目的ではなく、文字の形に目を慣らし、音声に口を慣らし、これに少しは書いてみるために建てられた。この国の過半の教区ではこれが教育のすべてである。この学校では教員は生徒と同じような知識しかないし、もっと知識を持つべきだとも期待されていない。彼の収入は年一二ポンドであり、そこから学校の賃料一〇シリングを支払っている。(11)

ここには、調査事項である教室の内装、備品、教員、生徒、教育内容、生徒の到達度などが詳細に記述されている。この記録は調査委員のサイモンズ自身による記述になっているが、学校訪問記録の多くは調査委員ではなくウェールズ人助手によってなされた。イングランド人調査委員は英語しか理解しないので、視覚による教室の描写、ついで教室で使われる英語への判断をして、あとは助手のルイスに通訳を頼んで、しかも小銭（一ペニーといっても一週間分の授業料だった）を与えて、聖書、算数などの質問をして、生徒からの正確な回答を得ようとしていた。

総括報告はこの学校訪問記録をもとにしているので、その内容は、たびたび総括報告の記述にも取り入れられる。これが、総括文書にあえて採用されたのは、切実に英語を学びたいとの希望の証拠を提供しているためとあるが、この学校の全体的な状況は、その他のあまたの学校と比べてみても、とくに悪い状態にあるわけではない。むしろウェールズの平均的な学校と言ってよい。したがって、これは、切実な英語熱の事例というより、牛が追放されたばかりの牛舎で生徒が英語を学び始めたという、読者向けの「滑稽な」効果をもたせるために、総括報告に採用されたと言えよう。政府の報告書といえば、無味乾燥な官僚の作文をつい想起してしまうが、この総括報告には、このように読者を意識して読ませるような書き方をしている部分があちこちで見られる。

（2）北ウェールズの村の小学校にあった罰札

もう一例、学校訪問記録と総括報告の組み合わせを見てみよう。前述のウェールズ人助手ジェームズは、ある学校で見た、少年の首にひもでぶらさげられた木の切れ端に、関心を抱いた。その木の切れ端には「ウェールズ語の札（Welsh Stick）」と書かれていた。これは、ウェールズ語を口にした生徒に恥辱を思い知らせる札だ、と、彼は聞かされた。しかし、生徒がいざぶらさげられたとしても、またウェールズ語をしゃべるか、何も言わないことにすることしか策はない。生徒は英語がわからなかったし、英語とウェールズ語の間のしっかりした翻訳教育は何も行われなかったからであると、この助手は記録した。[12]

調査委員のジョンソンはこれを踏まえて総括報告を書いて、これを次のように解説している。これは「ウェールズ語の札」とか「ウェールズ語（Welsh）」と呼ばれるが、ウェールズ語を話しているのを聞かれた生徒に渡される。彼は同じ違反を犯した仲間の生徒をみると、その子に渡す。かくして生徒から生徒へ渡され、週末になってこの札を持っているものは鞭で打たれる。この慣習が引き起こす、有害な結果の中には、この生徒が仲間の生徒の家にこっそりと行って、両親にウェールズ語で話しているのを探り出し、自分に降りかかる罪を転嫁するようなこともある。[13] これが悪名高いウェールズの「罰札」である。ウェールズ語を使った生徒に罰として首にぶら下げさせ、挙げ句の果てに生徒は「鞭で打たれる」ことにもなった。ジョンソンははっきりと「英語の知識を推進する目的で発明された慣習」と述べている。

これを体験した一人として、九歳のころウェールズの小学校で、何百回もこの札を首からぶら下げさせられたつらい経験を語るウェールズ人の歴史家にして著述家オーウェン・モーガン・エドワーズ（一八五八―一九二〇年）がいる。エドワーズの小学生時代は、一八六〇年代で場所はもっとも強いウェールズ語地域であった。この屈辱は、多くの他の子供たちと同様、深甚であり、学校や教科書や知識が嫌いになり、面白いことに心を開くべきこれから

図2-2　セント・メアリーズ公立小学校（ウェールズ民族博物館）

の人生の日々を暗澹たるものとした、という。[14]

中村敬の著書[15]を頼りに、ウェールズの罰札の実物を見ようと、二カ所の博物館を訪ねたことがある。一つは、二〇〇六年に実に一七年ぶりに再訪した、カーディフの近郊セント・ファーガンズ村のウェールズ民族博物館である。ここはあたり一帯が野外の博物館となっており、ウェールズの各地から運ばれてきた建築物が、そのまま展示されている。小学校も移築されていた。案内書によると、これは、西ウェールズのランピーター（助手がリクルートされたセント・デイヴィッド・カレッジがあった）の村マエスター（Maestir）にあったセント・メアリーズ公立小学校（一八八〇年創設、一九一六年に生徒数の減少により公営住宅に転換された、この時期の典型的な田舎の小さな学校）（図2-2）をそのまま持ってきたものである。

ここには以前に読んでいた歴史書に掲載された写真（図2-3）でしか見たことのなかった「ウェールズ語禁止」の札によく似たものも展示されていた。移築された学校の中には説明員とおぼしき女性がいて、われわれ訪問者に説明してくれた。名札を見ると「デイヴィス」さんで典型的なウェールズ人のファミリーネームである。説明を受けたついでに、失礼とは知りつつ、ここにあった札（図2-4）を実際に首に架けてもらった。

もう一つは、その直前に訪れた北ウェールズのバンゴール博物館である。午後の開館時間に間に合わせて到着していたが、職員が未到着でまだ開いておらず、私の前に、老人が待っていた。どこから来た、と話しかけてきたので、日本だというと、息子のガールフレンドが日本人という。ここまで何を見に来たのか、と聞くので、自分は歴史を調べており、ここにはウェールズ語禁止の札があると聞いたので、それを見に来たというと、氏はとうとうとイングランドのウェールズ侵略史を話し出し、ウェールズに対するイングランドの英語の押しつけなど結局間違いだった、と述べた。そのころ、ようやく職員が来て、われわれはともに博物館に入場し、氏は考古学のコーナーを覗いてみると言って、別れ際にウェールズ語で「ありがとう」というのはこう言うのだ、と喉を指しながら、ウェ

図2-3　「ウェールズ語禁止」の札をかけられ，石版を持った女子生徒．下はW. N. とWELSH N（いずれも「ウェールズ語禁止」）と書かれた札

図2-4　セント・メアリーズ公立小学校内にあった「ウェールズ語禁止」の札

図2-5　ウェールズ語禁止の札（バンゴール博物館）

ールズ語で「ありがとう」と言って別れた。

博物館内では、子供たちが何かの課題でも出たのか、課題シートを持ちながら、階段を駆けめぐっていた。多種多様な展示もあったものの、罰札は苦もなく見つかった。ガラスケースの中に展示されていたので、重さは分からないが、首に架けるには重すぎるようなものだった（図2-5）。このような札は罰としてではなく、新入生が入学するとき学校に掲げられた英語習得への決意を表すシンボルとして用いられたとの報告[16]もある。しかし、バンゴール博物館は罰札説をとっており、説明文には次のように記されてあった。

この「ウェールズ語禁止の札（Welsh Not ないし W. N.）」は、バンゴールのガース・スクールの床下から見つかった。子供がウェールズを話しているのが見つかると、この札がその子の首に架けられた。ウェールズ語を話している他の子がつかまるとこれはその子に渡された。一日の終わりか週末にこれを持っていた不運な子は罰せられた。このような言葉を話させない方法は、スコットランドやブルターニュなど、他の場所でも使われている。

この説明文の下には、当博物館の訪問者の記録帳も展示されていた。それはフランスのブルターニュから来た訪問者の二〇〇一年三月付けのメモであり、そこには「フランスはブルターニュのブルトン人もブルトン語を話すのが禁じられて、学校で話すと首におもり（クロッグ）を架けられた。二〇世紀初頭のこと」とあった。驚いたことにこのガラスケースには四七年報告書が展示されており、ちょうどバンゴールのところの頁が開かれていた。ただし、バンゴールのところには罰札の記述はない。

（3）沖縄の方言札、世界中の罰札

これと似たものは日本にもある。沖縄の石垣島に近い離島である竹富島にある喜宝院蒐集館に展示されていた「方言札」（図2-6）を学生たちと見にいったことがある。これは「横一寸縦二寸の木札」で、教室内で誰か沖縄の方言を口にした生徒がいれば、ただちにその札を首にかけられる。札をかけられた生徒は、他の仲間のうちで誰か間違いを犯す者が出るのを期待し、その犯人をつかまえてはじめて、自分の首から、その仲間の首へと札を移し、自らは罰を逃れることができる。罰を受けた回数はそのまま成績に反映する。[17]

図2-6　方言札（標準語励行の手段として沖縄各地の学校で用いられた罰札）

沖縄の方言札は、一九〇〇年代前半から一九六〇年代にかけて沖縄県全域で継続的に存在していた。すなわち、一九〇〇年に師範学校は標準語習得、およびそれとセットにした沖縄語使用の禁止を教員志望者の心得とした。これを政策背景として大和人教員が沖縄語を斥け撲滅しようと主張する一方で、沖縄人教員は、差別からの脱却という意図から、沖縄人の標準語習得、およびそれとセットとした教授用語としての沖縄語の禁止を考えた。方言札は、大和人教員と沖縄人教員では意図が異なるものの標準語普及という点では一致しながら、旧来の慣習を応用して用いられた。[18]

これでは、沖縄とウェールズでも使用目的も方法もまったく同じではないか。ただし、沖縄では二〇世紀に見られたのに対して、ウェールズの方は一八世紀に見られるようになっていたが、学校の過半数で、英語を教育目標の主要な部分とした一九世紀を通じて熱心に使われた、というように時期的には相違がある。

こういった子供の母語＝第一言語を抑圧する技術は、ウェールズや沖縄に限ったものではない。「言語罰」とでも言うべき、この「あくどく、むごい、巧妙な密告制度、相互監視の制度」(田中克彦)は、世界中にあることがわかっている。[19]

フランスでは、ブルターニュ、ガスコーニュ、プロヴァンスで用いられ、フランス語ではなく地域語を話した罰として使われた。ブリテンでは、ウェールズ以外でも、スコットランドのゲール語使用地域では、ウェールズの罰札に該当するものが北部のルイス島で一九三〇年代まで使われていた。[20]

この問題は、通常、国民国家の枠組みで論じられる場合が多い。一国家の中には一言語しかあってはならないというのが「国民国家」の強いイデオロギーとするならば、罰札は一国家一言語の「国民国家」を維持する目的で、国家の中で国家語以外を使用する生徒に恥をかかせ、罰を与えるために使われる慣習の一つとして、言及されてきた。しかし、罰札はブリテン帝国の諸地域にまで輸出されてもいたので、帝国の問題でもあることは忘れられてはならない。一例として、グギ・ワ・ジオンゴは、一九五〇年代のケニヤでの類似した実例を書いている。

ケニヤでは、一九五二年に愛国的民族主義者の運営するすべての学校が植民地政府に接収され、ブリテン人が委員長をつとめる地区教育委員会の管理下に置かれた。英語が公教育の言語となった。その結果、学校付近でギクユ語をしゃべっているのを見つかることがもっとも屈辱的な体験となった。罪人は体罰――パンツを脱いで三ないし五回棒で尻を殴られる――もしくは「私は馬鹿者です」とか「私はロバです」と書き込まれた金属札を首のまわりにつるされた。自分では用立てしえないほどの罰金を課せられることもあった。教師たちはこの罪人を次の方法で捕らえた。はじめに一個のボタンがある生徒に手渡され、その生徒が母語を話している生徒を見つけるとこのボタンを手渡すようにされた。そしてその日の終わりにこのボタンを持っていた者はそのボタンを誰からもらったかを自白し、これがつぎつぎとつづいて、罪人の全員が明るみに出されるのだった。こうして生徒たちは魔女狩りに熱中し、その過程で身の回りの共同体の裏切り者になることが得になることを教えられた。

この問題に関して彼と他の著述家がいうように、これによって、子供は第一言語を話すことが、自分が辱められていること、自分が認められないことと結びついていると考えざるを得なくなりばかりか、クラスメートの密告によってしか厳しい罰を避けられないとなると「身のまわりの共同体の裏切り者」となることが得になることも示された。深刻な精神の植民地化の一つである。[21]

同様な教室空間での禁止言語使用への罰として、一八四〇年にブリテンの植民地となっていたニュージーランドの例も知られている。ニュージーランドでは、一九七〇年代の調査で、原住民のマオリの四〇％がマオリ語を話したために何らかの罰を体験した。一〇本の指の第一関節がすべて曲がっている老婆の話では、教師の英語による指示を「英語が分からない友人にマオリ語で伝えたために、その罰として、その教師が机の端に一〇本の指を並べさせ、木製の定規で打ったために、骨が折れてしまった」という。[22]

（4）罰札の学校の報告データ

ウェールズの「罰札」が報告された学校に戻ろう。この学校は、北ウェールズはデンビー州のスランダルノグ（図2-1参照）にあるスランダルノグ・チャーチ・スクールである。チャーチ・スクールとは、国教会が設立した学校である。罰札の背景、ひいては、報告書の調査事項や傾向を知るためにも、この学校についての学校訪問記録の詳細を見てみよう。このスランダルノグ教区の人口は六四五人である。隣接するスラングイバン教区には学校がない。学区内には学齢に達した子供は一一〇人といわれている。そのうち三〇人は学費を払うことが出来ない。当教区住民の雇用先は農業である。

当校は共学で、教員は一名である。学校専用の建物で、生徒は男子四〇名、女子三名。六人の助教（教員の仕事を助ける年長の生徒）がいる。教科は、読み、書き、算数、英語文法、地理、音楽、聖書、教理問答である。授業料は週一ペニー、一学期で三から七シリングである。

これが他の学校とともに一覧表にまとめられた基礎データで、さらに二月一〇日に訪問した先の助手ジェームズは、実際の調査結果を訪問記録に書き留めている。全生徒のうち、二年以上の在籍者は一七人、三年以上の在籍者は一〇人。二四人が一〇歳以上。この日は五三人の出席者がいた。聖書の一章を読める生徒は一九人いた。八歳から一三歳までの二四人の男女の最良の生徒からなる複式学級のうち、わかってもらうように、英語とウェールズ語を二つ使って、個々別々に聞いてみたが、聖書に関する質問に答えられた生徒は一人もいなかった。四〇冊あった習字帳で、字が書けている例は一人だけ。比例計算はだれもできなかった。生徒五人のクラスでは英文法と地理を始めている。イングランド人の子供が二人いた。残りのうち、英語のごくありふれた文句を言えるのは、一二人しかいなかった。一八人の生徒が教理問答を繰り返していたが、教理問答の五〇分の一も理解していないと考える。

この直後に先に触れた「首にひもでぶらさげられた木の切れ端」についての記述があり、その後に、教員の資質、学校の状態や給料その他を、以下のように述べている。教員は二六歳で、四年間にわたりこの学校を運営している。しかし、師範学校での訓練は受けていない。教区牧師が力を入れて、教員として育て上げたと思われる。教員は英語は理解しているが、適切には話せない。いかなる知識も持っていないと思われる。教科書がないと、生徒にはいかなる科目についても何の質問もしない。学校を管理する能力もない。諸学級の構成はよいものの、助教は無知で学級の規律を保てない。調査助手がある学級を見ている間、となりの学級は遊んでいるか何もしていなかった。

学校の建物はよかったが、付設の建物は手入れが悪かった。学校には机がなく、代わりにテーブルが二台あった。教室は二つあったが、小さいので教員はそのまま動かずに一度に二つを見ることができた。本、カード、石版がまったく不足していた。教員の妻は放課後、女子に裁縫を教える。教員の収入は学校から、五〇ポンドあり、他に家と庭が与えられている。教区住民の誕生、結婚、死の登記で他に年七ポンドの収入あり。この学校の設立は、当教区と隣接する教区の教育上の需要に応じたものである。(23)

多少とも差異はあるもののこれらのデータは訪問したすべての学校について報告されている。しかし、「罰札」について触れた箇所は、筆者が当たったかぎりで、ここのみである。一二五二頁もある報告書でもこれが唯一の学校である。何かこの地域に特徴はあるのだろうか。

デンビーという州を報告書で確認すると、住民は九万人近くほどいて、北ウェールズでは最大の人口を持つ州である。州内部では鉄鉱、炭鉱地区に人口が密集し、これ以外の地域の住民は農業に従事している。さらに人口が少ない山間地域がある。英語使用率は、州の全人口の二〇％である。英語しか話さない住民が住むのは、この州を横切るイングランドのチェスターとシュルーズベリーを結ぶ鉄道の東側である。これ以外に住む貧民はウェールズ語しか話さない。州の西側辺境地域は北ウェールズでもっとも英語に無知である。住民の無知、社会的堕落は北ウェールズでは最悪であるとも告されている。(24) スランダルノグは、チェスター・シュルーズベリー間鉄道の西側に位置し、西側辺境地域との間に位置する農業地域である。この教区の英語使用住民の比率は一〇％台である。(25)

罰札が使用されていたのは、こういった地域の学校だった。英語使用率は低い地域ながら話す住民もいたという中途半端な地域で、現に教室にもイングランド人の生徒が二人いた（ただし英語を話すとかその言語については触れていない）。不用意にウェールズ語を発した生徒をつかまえては、木の札をぶら下げさせ、鞭打ちの罰を与えていたのは、英語の完璧なイングランド人の教員ではなく、英語もろくに話せないウェールズ人の教員であった。しかも、放課後に仲間の家まで出かけて、罪の転嫁のために親との会話も盗み聞きするとは、教室空間を越えて教区の村レベルで話される言語に対する一種の監視の役割を果たしていたことを意味していた。

3 教員

(1) 悪評高き職業

以下では、一つの学校からウェールズ全域に視野を広げて、教員と生徒、両者のいた教室空間の順で見ていこう。教員に対する評価は、全体として非常にきびしい。この調査は各学校には事前に連絡せず、抜き打ちで行われた。抜き打ちで学校を訪問したのも、とくに教員の実態を知るためだった。実態を知ろうとする調査委員としての仕事上、当然の方法だった。

南ウェールズの報告書のまとめの部分では「教職はほとんどどこでももっとも尊敬されず、もっとも悪評が高い職業の一つである。他の職業の掃きだめとして機能し、逃亡者の集まりと書かれる職業の一つである」と総括されている[26]。

北ウェールズの報告書でも、教員の収入、階級、資質、教育方法について総括している。北ウェールズの全教員六二五人のうち、六〇一人まで熟練工の最低クラスよりも低い収入である。このうち四二〇人は家賃無料の家を与えられていない。さらに四〇一人は当時もっとも低収入だった農業労働者より低い給料だった。そのうち三〇五人はこの仕事以外から得る収入、すなわち副収入はない。先に見た罰札があった学校の教員は五〇ポンド、庭付きの家を与えられ、副収入もあったが、平均給料額二四ポンドに比べると彼は破格の待遇であった。

ついで、「教員にでもなろうとする人々」の状況と環境を類推している。北ウェールズの教員は、読み、書き、暗算さえできればいいだけの社会の最低クラスを出自としている。多くの場合は、この条件もなければないですませることができ、近隣の人よりも英語ができると見なされるとだれでもこの仕事への就職を促される。教員になる前に就いていた職業＝前職は、様々だが、労働者、工員といった階級で英語の知識を持っている者はまずいないので、この階級はなれない。教員になりやすいのは、英語を学ぶ機会が与えられた小さな商いとかその他の職業の者であり、男性では、大工、指物師、宿屋経営、八百屋や染物屋の手伝い、退役軍人、消費税徴税吏、女性では、家内奉公に従事しているうちに、男性より英語を知る便宜がある最貧困階級の女性で、お針子、掃除婦など最低クラスの家事使用人として雇われていた人々である。救貧法を適用され、救済金をもらっている者もいた[27]。

年老いたとか、何かの事故で四肢の一つを失ったとか、盲目になった、聾唖者になったとかで肉体労働ができなくなった者、競争に負けた敗走者が就く職業であり「みすぼらしくして粗末な衣服を着ながら、貧乏にひどい不満を言うしかない」職業とも書かれた[28]。極端な例では、二六年間教職についていたが「重いガンにかかっている教員」がいて、この健康上の理由のため生徒はおらず「英語はきめてわずかの単語しか話せず、悲惨な小屋に住み、きわめて貧しい」と報告されている例もある[29]。

（2）英語が話せないのに英語で教える

ウェールズの平日学校（原語は day-school で「日曜学校」と区別するためにこう訳す）ではウェールズ語での教育は禁止され、英語がろくにできなくとも英語で教えなくてはならなかった。すなわち「英語をしゃべることはおろかわかってもいない男が英語を教えていた」。したがって、ウェールズで労働者階級への英語教育の調査にとってとくに重要なのは、個々の教員の英語能力の調査であった。報告書は、あちこちでウェールズ人教員の英語のひどい発音、強いウェールズ語訛り、文法の間違いを報告している。「彼らの知識は、多くの場合、英語を強いウェールズ語訛りで読むこと、英語で共通の話題についておしゃべりができること、これにとどまり、これ以上に行ったためしがない」とも記されている。

個々の教員の英語能力は「教員はうまい英語を話す」「英語をよく知っている」「完璧ではない英語」「まずまずうまい英語」「まずまずの英語を話すがかなり不正確」「不正確な英語」「英語がわかるがうまくは話せない」「うまく話せない」「文法的に正しい英語は話せない」「不完全にしかわからず、文法、発音にお構いなく話す」「怪しい英語」「英語は不完全」「英語は非常に不正確」「英語の知識はそれほどない」「英語の知識はきわめて低い」「教員はきわめて下手な英語を話す」と驚くほど細かな段階評価がなされている。今日の英語検定のはしりというわけだろうか、点数を付けるかのような個々別々の評価には驚くしかない。

一七世紀後半の逃亡黒人を探すための新聞記事を調べていたときも、これとまったく同じ細かな段階評価に驚いたことがある。イングランド人家庭に使用人として雇用されていた黒人が逃亡すると、あわてて彼らを探索する新聞広告が掲載され、その逃亡黒人を認識するためのデータとして、年齢、性別、服装、背格好、連絡先のほかに、耳にすればすぐ分かる英語の上手下手が記された。逃亡した黒人たちの英語の習熟度は、ブリテン領植民地の出身者を含む「かなりうまい英語」「うまい英語」から「英語を話す」「英語を話すが話し方は緩慢」「英語はかなりへたくそで、早く話すことを余儀なくされるとわかりにくくなる」程度、「声が低く、怪しげな英語を話す」「怪しげな英語」、「きわめてへたくそな英語を話す」「英語は少ししか話さない」「ガンビア出身で英語は少ししか話さない」「英語は全く話せない」「英語は一言も話さない」と習熟度別の表現になっている。

また、当時（一六八六年の記事）、使用人として雇われていたのは黒人に限らず、ウェールズ人もいて、彼らもあまりの虐待に耐えかねて逃亡した折に、「英語がひどく下手な二五歳の」ウェールズ人と書かれた(30)。さらにさかのぼって、一五九八年にケンブリッジの学寮に入ったウェールズ人学生がウェールズ語訛りの英語を口に出すと「笑いを抑えている人でも笑ってしまった」と記録された。[31] ウェールズ人の英語の下手さは一六世紀から一九世紀まで書かれていたのである。

一九世紀半ばのウェールズ人と一七世紀のイングランドにいた黒人が話した英語への評価の細かさばかりには驚くばかりだが、同一の検定試験などはないので評価の基準はまったくわからない。

（3）発音、文法

ただし、一九世紀半ばのウェールズ人の下手な英語の具体例はふんだんに掲載されている。発音関係では、「英語を不完全にしか知らない」と評価された教員の場合、その証拠は「Alphaeus を Alphabus かのように発音した[32]」というのが唯一の証拠である。他にも「英語はわかるがあまりうまくない」教員は father を farther、counsellor を gounzellor と「きわめて不正確に話」した例。「英語が不完全にしかわからず、文法、発音にお構いなく話す」教員は、British を Brutish と話していた例[33]。「適切に英語を話さない」教員が、bullocks の u の音を but の u と発音すべきものを put の u と発音して、生徒が正しい発音をしているのに、わざわざ直している例[34]。

文法関係では、「生徒より英語の達成度が悪く、誤って生徒に教理問答をしていた」教員の疑問文 "Where river Thames is?" と "What Jesus Christ did?" で、is, did の位置がおかしい例[35]。「英語を正確に話せない」教員が "Did God heard their groaning?" "What did Moses said?" "To where he led his flocks?" "What John worn?[36]" と質問していた例（疑問文での動詞の過去形、過去分詞形の使い方がおかしい）。英語を「きわめて不正確にしか話さない」教員の質問として "Where was God appeared to Abraham?" "What God said to him in English?" "Dis God made the world?"。「まずまずの」英語を話し「不正確に書く」教員で、生徒の名簿に "Stuborn girl, verry bad, her parents gave to much her own way.[37]" という記載が見られた例。

発音と文法の両方が悪い例としては、英語を至るところで「不正確に話す」教員の証拠として「wild を weela、region を ragion、sort を short」と発音し、生徒への質問は “What he say of him?” と非文法的だった他、同じような多くの間違いがあった例[38]。「怪しげな」英語を話す教員の質問として “How many Gospels are?” “How many apostles are?” この教員は、生徒の間違いが分からないようだし、brethren（brother の複数形）は単数形、child は women の単数形と思っていたという例[39]。英語は「かなりよくわかっているが」、強いウェールズ語訛りで文法が誤っている教員の証拠として “He spoke of children who had been ‘sended’ to school” 。口に出すごとに間違って発音しており、生徒が間違ったままそれを繰り返している事例として、noun を noonと言っていた例[40]。

さらに悪い例としては「英語はきわめて不正確だった」と記されている教員が「読み方は教えているか（Are they taught reading?）」との調査委員の質問の意味がわからなかった例。ヒアリングがだめだった例だろうか。「英語に無知」の事例でも最悪なのは「英語をまったく知らず、教員は私の試験を受けるのも断った。私の視察が終わるまで、何もしないままか、黙読をしていた」という教員がいた[41]。

これは一部にすぎないがこれだけ取り上げてみても、たしかにウェールズ語訛りに対する厳しい評価は了解できるにしても、ここにあるのは、単語の発音や綴りの間違い、文法（動詞の変化、単数形と複数形）などのささいな間違いである。ささいな間違いであればあるほど英語の使い方をチェックする立場には、その指摘が重要な仕事になるのであろうか、チェックは情け容赦がない。また、証拠が少なく、これだけで教員の適格性を示すことが可能なのか、と思わざるを得ない。しかも、証拠があれば良い方で、「下手くそな英語」とたたかれるばかりで、その証拠はほとんど示されていない方が圧倒的に多い。あったりなかったりのばらばらな証拠の提示は、評価の統一性の欠如を証明するにすぎないとも言える。並べれば並べるほど、浮かんでくるのは、視察した調査委員や助手たちの評価の恣意的な態度であると言うしかない[42]。

また、こういった発音と文法のささいな誤りの指摘とその背後にあるような矯正の要請は、フーコーの『監獄の誕生』[43]にいう「規律＝訓練の言説（disciplining discourse）」を思い起こさせる。またそのフーコーの言説理論を用いて、世界の英語支配を論じたペニークックの著書もある。ペニークックは、英語支配は何より言説によって作られる文化的権力の問題であるとして、英語が植民地支配のための「規律＝訓練の言説（disciplining discourse）」として使われていることを重視した。「第三世界は、『権力を持つ全能の』中央のタワーによって、ある形態での監視――『標準化させようとする凝視』――にさらされている」。また、中央にあるタワーとはベンサムが考案した、すべての独房の内部まで見える「一望監視塔」がある刑務所であり、「第三世界をめぐる言説を構築する西洋の知的政治的制度」である[44]。この引用文に出ている「第三世界」をウェールズ、「中央のタワー」「西洋」をイングランドに置き換えて読めば、報告書に書かれたウェールズの事情をあらわすのにこれほど適合した記述もない。

さらに、英語がペニークックのいう今日の「グローバルなパノプティコンの言語」あるいは「植民地的なパノプティシズムの言語[45]」となっていくならば、一望監視塔＝パノプティコン付き刑務所を考案したベンサムが一七八〇年に「国際 international」という言葉を創始した人物であることも偶然ではなく「国際」英語としての今日の英語を考えるにも示唆を与える[46]。

（4）ウェールズ人助手が英語を評価する

こういった「パノプティコン」として教員および生徒の英語の発音、文法の間違いを指摘して段階分けや「ひどい英語」と非難したのは、イングランドの調査委員もいたが、実はそのほとんどは、助手のルイス、トマス、ルイス、ジェームズなどのウェールズ人助手であった。上司の調査委員とほぼ同様な「言語警察」的なスタンスで調査するこれらのウェールズ人助手ほどイングランドの手先であることを示すものもない。彼らの英語の間違いの記録は、マコーリーのいう通訳階級の成果をかなり早い時点で雄弁に語っている。

そもそも助手にもっとも必要な雇用資格は、通訳としてウェールズ語と英語の両方の知識があることであった。なぜなら、この通訳としての資格は、英語しか話せない調査委員が自分では引き受けることができない仕事の領域だったからである。彼らは、通訳として英語とウェールズ語の知識が十分であることが期待されたが、その後のウェールズ人批判者たちによるとそれほどでもなかった。

たとえば、助手のプライスはある学校で「十字架に架ける（to crusify）」の意味をウェールズ語で説明するように生徒に言っている。子供は手と足を「木に（wrth bren「木、樹、材木」と訳される pren）」釘で打ち付けること、と正確に答えている。しかし、プライスはこれ（wrth bren）を「木切れに（to a stick）」と訳して、誤訳していた、という。[47]子供がウェールズ語で答えた部分は報告書に記載されていないために誤訳かどうかの判断はつきかねるが、批判者エドワーズによると、サイモンズの助手プライスは子供の返答を誤訳しているために、子供がプライスの質問に間違って答えた結果となった。助手ジョン・ジェームズもウェールズ語詩集の題名 Gardd o Gerddi（文字通りには「歌の園」）を明らかに Gardd o Erddi と間違って「園の中の園」と訳した。これは、初歩的な誤訳とのことである。

また助手ジェームズが「きわめて下手くその英語」を話す教員（ロンドンで反物屋の助手をしていたという）がおかした誤りの具体例として挙げているのは、hypocrisy を hypocrissy と発音したこと、only four of them gone about a week into the Testament と have gone か went と使用すべきところを gone を使ったことである。もう一点、コメントなしで、教員は自分の娘のことを「彼は（he）勉強がたいへん遅いのです」といったと記述している。she の誤りである。上の二つは、いずれも文脈の理解には影響しないレベルの発音と文法の間違いであるが、ジェームズは、この教員は「かなり下手くそな英語」しか話さないと評価する証拠とした。しかし、最後の例は、発話の理解に影響を与える重要な間違い（三人称単数代名詞がウェールズ語と英語で似通っているので出た間違い）なのにもかかわらず、ジェームズは記述はしたものの評価の証拠とはしていない。

こういった混乱や誤解にいたる基本的な間違いよりささいな発音や単純な文法の誤りを深刻なものと見なして、評価の基準ともしたことは、後々の批判者たちが言うように、調査結果は信用するに値しなかった。かくして、英語かウェールズ語のいずれの言語の知識にも通じていることが助手の唯一の資格であったが、そのいずれかに欠如するところがあれば、調査の結果は歪められてしまうことになる。[48]

ともあれ、報告書は、個々の教員の英語能力を記述するとともに、総括部分でも「英語を発音できない教員には生徒に正しい読み方を指示することは期待できない。教員が英語の単語を正しく発音しているのに生徒をしかったり、自分の間違った発音で間違った教育をしているのを何度も目撃した。生徒が単語の綴りを言うのをもっぱら聞くばかりだが、その綴りが正しいのかどうか、教員は確かめるのもできない。生徒が大声でがなりたてているのを聞いているだけの仕事で、かえって混乱をもたらすばかりである」[49]と記して、ウェールズ人教員の過半数は英語に無知である、と断言している。残りのウェールズ人教員も、生徒に英語を説明したり、翻訳する重要性を一度でも認識した教員はまれであり、英語の系統的な教育を実行するのにいかなる試みもなされていない。したがって、圧倒的多数の学校では、生徒は英語は（教員たちの表現では）「できるだけ聞き覚えなさい」と言われるだけである。英語を話せない者、理解の怪しい者も重要な学校の運営に任命されている、と嘆いて、北ウェールズの全学校は「ウェールズ人の教員に英語を教える目的で設立されたこと」を想起せよ、と述べている。英語を学ばなければならないのは、ウェールズ人生徒だけではなくウェールズ人教員でもあった。[50]

（5）イングランド人教員に教えられても

詳細なデータを残した報告書だが、教員がウェールズ人かイングランド人か、教員の出身地・母語は調査事項には入っていない。ただし、個々の報告からそれをうかがい知ることができる。圧倒的にウェールズ人の教員が多く、英語を母語とするイングランド人教員もいたが、少数派であった。さらにスコットランド人、アイルランド人の教員などもいた。英語の無知は、ウェールズのネイティヴの教員に限られたものではないとして、イングランド人教員にも批判の矛先が向けられている。

イングランド人の教員が教えている学校でも、子供は間違った文法や、教員が持つ地方訛りにつきまとう発音の間違いを教えられている。これは調査委員とその助手にとり、耳障りな例だったらしく、一例は、チャシア訛りで、もう一例はランカシャー訛りの教員が報告されている。(51) 英語発音がウェールズ人教員より劣っているイングランド人教員も報告されている。(52)

しかし、イングランド人教員に関する問題は、英語方言の訛りだけではなかった。もっと大きな問題があった。教員がイングランド人でウェールズ語をかいもく解さず、生徒がほぼウェールズ人である場合、大きな混乱を引き起こした。こういったすれちがい状況も多く収録されている。

ブリンボという学校のイングランド人の女教員はウェールズ語がわからないので、生徒に指示を出すのに大きな難儀を抱えている。学級で英語をウェールズ語で説明する生徒を助教として使っているが、ウェールズ語に正確に訳されているかは知ることはできない。英語を知っている生徒はまずいないのだから、正しい訳などあり得ない、との報告がなされた。(53)

それでは「理想の教員」は想定されていたのだろうか、調査委員は、訛りのない、文法的にも正しい英語を話し、翻訳システムをとり、教育方法もしっかりした教員を想定している。さらに「完璧な教師」として、以下の条件を挙げている。教えようとする科目を知り、特徴もイディオムもまったく違う英語とウェールズ語という二つの言語を知り、いずれの言語でもまったく同じように明確にかたよらずに表現できる教師である。しかし、ただちに、このような現状に対処できる教員はいない、と断言している。「私の報告は、現在の教員がこういった人物からいかにかけ離れているか、を示すばかりである」と付け加えられている。(54)

4　生　徒

(1) 短い通学期間

今度は生徒の方に視線を向けてみよう。北ウェールズに限定すると、一五歳以下の児童数に占める通学児童の登録者数のパーセンテージは二二％しかない。さらに登録はしていても出席しているとは限らない。年間を通じて毎日出席している生徒数は登録者の六五・六％である（図2-7）。

年齢層は統計上「五歳以下」「五歳から一〇歳まで」「一〇歳から一五歳まで」に分けられており、このうちもっとも教育を受けているのは「五歳から一〇歳まで」の年齢層であり、この傾向は女子より男子が多くなっている。とくに「五歳以下」の幼児学校は、ウェールズ人の子供に英語を教えるのにもっとも効果的な手段である、と述べている。

学校教育を受ける平均期間は一・四一年である。また学校と家の距離が一と二分の一マイル（約二・四キロメートル）以内に住んでいる生徒は、一二・九％で、四一三五人であり、多くは八マイル（約一二・八キロメートル）もの距離を毎日歩いている。「授業料などの経費がかかっているにしては極端に低い価値しかない教育、それに教材、教員の質などを考えると、生徒の数、出席率を期待したり、かくも無益なことにこれ以上の時間をかけるのは無理である」と報告者は記述している。(55)

ここで学校に行きたくても行けなかった圧倒的多数派に属すると思われる一人の少女の例を見てみよう。この少

図2-7　サイモンズが視察する教室（1848年，ヒュー・ヒューズ画）

女は、教会で英語の読み方を教えていた牧師の妻に「英語を教えてくれたら、私の人生の残りを先生のために働く」と言ったという逸話をこの報告書に残している。それによると、この子の家庭は、現在、母親とその子供四人であり（つい最近まで五人いた、と一人死亡を暗示する注記がある）、救貧院にいかないで窮乏に耐えている。この地域の主たる収入源は父親の冬季に働く鉄工所からだが、夏には家に帰るか、イングランドに収穫に出かけるかするので、仕送りができるまで残された家族は貧困に陥る。いまその父親が収穫に出かけて仕送りができていない時期と思われる。狭い土間と乏しい家具、ベッドの共有など家の描写の描写の後、次のように、家族の無通学状況が記されている。

> 一三歳になる兄は日曜学校にも平日学校にも行っていない。家族には学校にやる余裕がない。外出しようにも靴や衣服もない。夏に日曜学校に行っていたことがあるが、冬になると裸足では行けない。姉は男に混じって野外労働でわずかなお金を規則的に稼いでいる。この子も教会に不定期に雇われている。この子が、英語を勉強して読めるようなりたいとひたすら望んでいると、牧師の妻に、いつか言っていた。「英語の読み方を教えて

くれるなら何でもする」「それじゃ何をしてくれる」「私の人生の残りを奥さんのために働く[56]」。

この家族は誰一人として学校に入っていない。これだけ読めば極度な貧しさを伝えるだけだが，これもごく平均的な貧しさにすぎず，靴がないために長距離の通学路がある学校に行けない子供がいる多数派家庭の一つであった。靴どころか着ていく衣服がない子供の報告もあちこちでなされた[57]。報告書自体が学校調査で，通学している子供に関する調査を目的にしていたので，無通学の子供は対象外であったが，たまたま伝聞した事例として取り上げられた。これは，それでも英語を学びたいとの希望を自発的に申し出た少女の事例として，報告書に取り上げられたのである。

(2) 低い成果

教員に統一された英語検定はなかったが，生徒には調査委員と助手による口頭でのやや統一的な学力試験のようなものがあった。北ウェールズ報告書では，調査対象にした四八八校，一万九五二一人の生徒の学習到達度を科目ごとに達成度を以下のように「一級」「二級」「三級」とクラス分けしている。

聖書と算数のみ確認すると，聖書の「一級」は，新約聖書と旧約聖書の物語に関する簡単な質問に答えられる者，たとえば，族長（イスラエル人の祖としてのアブラハム，イサク，ヤコブ）の物語，出エジプト記，モーゼ，サムエル，ダビデ，ソロモン，預言者の名前などを知っている者。「二級」は，新約聖書の知識，たとえば福音書の一般的物語，奇跡，パウロ，ペトロを知っている者。「三級」は，イエス・キリストの誕生と死に関係する事実，四人の福音伝道者の名前しか知らない者。

「算数」は，四則計算，約分と通分，比例の三つの出来により区分され，「一級」はこのそれぞれで最初の試験で容易な計算が出来る者であり、「二級」と「三級」は、それぞれの法則の知識はあるものの応用が利かない者である。「二級」と「三級」の区別はとくに言及がない。なお、暗算は英語の知識を要しないために、生まれつき利口なウェールズの子供は、上達が早い、と註が付いている。

このクラス分けに基づき、試験の結果を全体としての統計をとり、かつ学校ごとに詳細に記述している。ここでは、一級とされる生徒の占める割合のみ確認しておこう。全体に占める一級の割合は、「教理問答」で六・四%、「聖書」で二・七%、「文法」で〇・五七%、「地理」で〇・五四%、「歴史」で、〇・一八%、「すらすら正しく読める者」は、八・二%、「比例計算ができる者」は一・一五%、「暗算」で〇・三二%となっている。

他方、できない生徒はどうなっているか。「聖書の一節も読めない者」は七三・五%、「比例計算がまったくできない者」が九六・八%、「地理がまったくできない者」が九四・六%、「文法がまったくできない者」が九四・六%、「歴史がまったくできない者」が九八・二%、「新約聖書の初歩的な物語を知らない者」が八三・四%となっている。

この数字に対して、調査委員は次のようにコメントしている。読み方を教える教科書はすべて聖書からの抜粋であり、記憶の練習として復唱される科目は教理問答である。その結果として、現在の教育が成果を生みだすとしたら、それは生徒の宗教上の知識ということになるのだが、この数字が示すとおり、成果は上がっていない。

さらに以下のように指摘している。致命的な思い違いによって北ウェールズの学校後援者は道を間違えていた。後援者たちは、子供たちがアルファベットから読み方まで学ぶ教科書として聖書を使い、教理問答をていねいに暗記すると、その中にある物語や教義は生徒の理解力や愛着心に強く印象づけられるに違いないと想定してきた。教理問答（これは教員が聖書を説明するのを指導したり助けるために、また間違った教義を繰り返し聞かされないように生徒を守るために意図されている）はあらゆる知的な活動を中止させる効果を持ってきた。それは教員という仕事の地位を貶め、生徒を救いがたい無知の状態（個々の宗派別の教義ばかりかキリスト教の初歩的な原理や真理に関する無知）にさせている、と。[58]

ウェールズの子供たちは、聖書を教科書に毎日読みはしても、その内容や英語の単語の意味はたまたま理解することはあっても、おしなべては理解していない。「king, hillhouse, horse, dog といった短く単純な単語の意味を知る生徒は、各学校に一人か二人はいるが、生徒は、全員聖書とか福音書とかの英語の本を使用し、スペルを言っているのに、多くは英語の単語がまったくわかっていない」と書かれることになった[59]。聖書をテキストに英語を学習するという宗教と英語の知識を二つとも獲得させようとする意図は失敗であった。

聖書とは関連しない文脈でも、生徒の英語の無知は限りなく報告されている。以下のいくつかの事例である。英単語はいくつか知るが英文となるとたんに分からない[60]。生徒は extremity の意味が知らない[61]。therefore, reveal, afraid は正しい綴りだったが、power の綴りを pour と間違えた[62]。enter, ship, came, city, sick, bed, faith の意味を知らず、palsy, sick, forgiven のスペルが書けなかった[63]。house, palsy は知るが、blasphemy, perceive は知らなかった[64]。show, gave, faith を知らず、ウェールズ語でも言えない。grace, woman, nurse も一人か二人しかわからない[65]。文法の授業で、生徒は "he ran quickly." という文章を、品詞に分けて文法的関係を説明することができなかった[66]。

(3) 裁縫

どれもこれも低い成果しか報告されていないが、調査委員には唯一評価できない科目があった。それは女子の裁縫であった。報告書は女子用の裁縫のクラスがあるかどうかに注意している。とくにジョンソンは、クラスの有無、指導内容（縫い物、編み物、標本、パッチワークなど）、授業時間（一日三〇分から二時間までの偏差）を調査させた。

調査委員と助手はあきらかに目の前に示された縫い物などの作品を評価する資格がなかった。裁縫は、非男性的な行為であり、調査委員として権威的にコメントできなかった唯一の科目だったからである。裁縫の時間に仕上げた衣服は自分たちや仲間、賞品として提供され、商品として売られた。その作品は「とても丁寧に、かつ細心の注意を凝らして作られたようだ(67)」、「裁縫作品はきちんとしていた(68)」、「女子たちの作ったしゃれた小物(69)」と誉めてみるしかなかった。

裁縫は、労働者階級の女子教育では大きな役割を与えられていた。裁縫を教えることは、将来の妻や母に、夫、父、兄弟のためにシャツや家庭のシーツを作ることを教えることであったし、時には現金収入にもつながった。それとともに、もっと重要なことは、裁縫ができ、進んでその技術を習得する女子は、主たる稼ぎ手としての男性に奉仕する家庭内での従属者としての役割を認識したことを意味した。

反対に、この役割を認識せず果たしもしないで「水くみ場に集まり、朝六時から夜一二時まで下らぬゴシップにふける女ども」「家事や家政も知らない」女子と女性には厳しい評価が下された。この水くみ場の女たちは示し合わせて共通の言い訳を作ったばかりか、あらゆる種の家事に時間を使わない。よき労働者階級の女性とは、これとは正反対に、自分の家で、家族のために料理、掃除、縫い物をして過ごすものである、と(70)。

ジョンソンは、社会的道徳的堕落が進んでいるは「この地域全体で女ときたら、女としての義務、家事仕事、必要なものとは何かの知識はことごとくない、ごく最近まで裁縫も知らなかった(71)」からだ、との地元の教区司祭の証言を拾い上げている。調査委員は、社会的道徳的堕落を文明化する裁縫の力を認めており、労働者階級の女性の社会的規律化の成功を象徴する裁縫の技術を開発する教育を気にかけていた。

ただ女性の男性とは区別された社会的役割とそれから派生する裁縫のような、女子固有の領域にある科目の重要性は認識されていたものの、リンゲンの担当地域では、女子の出席の不規則性、早期退学、男子より質問しないので英語が向上しないとの報告(72)があった。サイモンズの担当地域では、初等教育を受ける女子は男子の半分で、在校時間も短かった。通学の成果や学力からみても、女子は男子より決定的に劣っていた。サイモンズの言葉では、女子が「劣っている理由は、金銭が教育を受ける唯一の動機となっているためで、この動機は女子より男子の間ではるかに強い。なぜなら、男には、出世のために算数、書き方がもっと必要と思われるからである」[73]。いわゆるおばさん学校（デイムスクール）の多くも女子に読み方と針仕事しか教えなかった。

読み方はもっぱら他人の思考を受け取り学ぶこと、書き方はみずから書いてみて思考の過程に積極的に参加すること、とするならば、女子には読み方、針仕事しか教えず、書き方が不必要という発想は、女性に振り当てられたかなり受動的な役割を反映していた。男子にとっては、英語を知ることが出世の出発点となり、さらなる出世には、算数、書き方が必要となる。言い換えれば、英語や書き方、算数から排除される女子はさらに出世から取り残されるということになる。

報告書の女子校の中には、「家事使用人の仕事と簡単な料理」を中心にして、もっぱら、結婚前の宿命である家事奉仕に役立つ生徒を育成していた学校もあった[74]。ある学校では「二〇人の貧しい少女に家事奉仕の準備をさせるのを主要な目的として」おり、「それゆえにかなりの時間を針仕事、洗濯、アイロンがけに費やして[75]」いた。

第五章で見るようにケイ＝シャトルワースはウェールズばかりかブリテンの海外植民地の学校も指導しようとしていた。そこでは、英語以外によき成果をめざすべき一科目として「女子用には洗濯と料理」が挙げられていたが、ウェールズでは女子の家庭内の従属的地位の認識と女子固有の科目の重要性がすでに実践されていたと言うべきであろう。

5　混乱する教室

無能な教員と彼らに教えられる生徒の無惨な到達度、これがここまで見た調査委員と助手に記述されたウェールズの教育状況である。

(1) 学級崩壊

これが行き着く果ては、生徒のやる気の喪失である。リンゲンが言うように、英語がまるっきりわからないために学校に来てまったくの初歩から授業を受けようとしているウェールズの子供に降りかかる最初の困難を取り除こうとしている努力をしている学校はどこにもない。学校にある本はすべて英語で書かれ、口に出す言葉はすべて英語でなければならない。教育科目はすべて英語で教えられ、文法、地理、歴史、算数の知識の蓄積は英語でなされる。ところが、英語の知識を得ようにも何ら援助となるものがないのである。学校には英語の辞書、ウェールズ語の辞書がまったくない。その上、一日につき六時間も費やして、生徒が理解できず、自分の本もなく、教員が説明もできない言葉(=英語)で、聖書の章や算数の公式を読まされたりくり返えさせられたりする。これほど生徒のやる気をなくすものもあるまい[76]。

生徒のやる気の喪失の後には、教室内の規律の欠如=学級崩壊が待っている。罰札が使われていた学校でも教室内の混乱は記述されていたが、生徒の英語と聖書の知識の無知と教室内の規律の欠如を関連させる報告は枚挙にいとまがない。

たとえば、キリストの弟子が何人いたか知らず、福音書の数やマタイが男と女かも知らないほどのひどい無知の生徒がいて、文法の授業で、good と bad の変化を good, gooder, goodest; bad, badder, baddest とやっていた学校では、英語の文法もイディオムもなっていない教員が、乱暴な生徒を注意せずに、生徒が学校をあちこち飛び回り、遊んだりおしゃべりしたりを許している。学校にいて教員に従うべき生徒が、これほど粗野で教員の言うことを聞かないのは考えがたい、と嘆いている(77)。

次は、英語とウェールズ語を教えると称するが、Place を please、meat を mate、"Who was John call to repent?"，"How was Esaias say of him?" と言ったりする英語が不完全の教員のいる学校では、生徒管理の欠陥がめだっていた。学校に近づくと大きな音が聞こえ、入ってみると教員と生徒の一人が喧嘩をしている。この子は学校を抜け出しかったのであり、教員が引き留めようとしているのも聞かずに、その目的を果たした。不服従と無秩序状態が我が物顔で勝ち誇っている、と報告されている(78)。

学習の達成度と教室内の規律の欠如は関連しており、しかも師範学校で訓練を受けた教員でもこの二つの目標を達成していない。報告者のコメントは「私が見たのは、とうてい直しがたい欠陥――彼らは教育に向いた性質を生まれながら持っていないのでは――であった」というものである(79)。

英語ができないウェールズ人の教員がたどたどしい英語でウェールズ語しか耳に入らない生徒にあらゆる科目を教える。あるいは、英語を母語とするイングランド人にしてもウェールズ語しか知らないウェールズの子供たちに英語で教える。いずれの場合も言語の壁があり、うまくはいかない。その結果、教室内は混乱と無秩序状態が生まれる。

これにはもちろん大きな理由がある。教室内では「教員も生徒も一言もウェールズ語を言ってはならない(80)」という命令があるからである。「平日学校が北ウェールズに設立された公認の目的は英語教育である。これは学校の現況を判断する基準として最初にいっておく必要がある」と報告書が当初から確認しているように、一言も言ってはならないことになると、英語を説明するための説明言語としてのウェールズ語も禁止されることになる。

(2) うまくいった学校

英語教育を推進する目的にとって、現状はその目的にはほど遠い壊滅的な状況ながら、例外としてうまくいっている学校もあった。その「よい学校」の例として挙げられているのは、北ウェールズでは三校ぐらいである。

一例は生徒数一七三名の男子校で、非国教会派教会の一室を教室としている。教員は元農民で、師範学校で六カ月間訓練を受け、二年間教職にある。ウェールズ人であり、英語にまだ完璧ではない。しかし、教育方法はよい。生徒はウェールズ語の文章の英訳を要求されており、これが、翻訳、書き方、読み方、綴り、文法の知識を実際に生かす練習となる。引用文集が与えられ、生徒が適切な句点、読点を付け、かつはっきりした印をつけて内容ごとに段落づけをして、書き写すように指導されている。ここは、英語を教えるために特別に作られた教科書を生徒が使用している、きわめて少数の学校の一つである。その結果、異常な数の生徒が英語の読み書きができている。ただし、ここでも生徒のマナーはなっていない[81]。

もう一つの学校には、英語とウェールズ語の語彙集があった。これは教員が編集し出版したもので、使用頻度の高い単語を一覧表にしたものと、他にウェールズ語と英語の短い対話と文章が対訳で並べられている。生徒は男女ともこの本の一節を記憶することが要求されている。男子生徒は書き取り、英語で手紙を書く練習もある。全生徒は学校でウェールズ語を話すことを禁じられており、遊び時間にも英語を話すことが奨励されている。この措置で、英語は町でも近隣でも急速な進歩を遂げている。子供が街角で遊び時間に英語を話しているのも聞かれた[82]。

さらに、一八カ月から五歳までの男女の幼児の学校があり、ダブリンで四年間訓練を受けた女性教員がいて、その効果は学校の規律のすばらしさ、すぐれた教育方法に現れている。こういった点で、北ウェールズにはこれに勝る幼児学校はない。とくに地理では、驚いたことに二〇人が世界地図に関するむずかしい質問に答えた。インド洋上の島々を、地図を指さすとつぎつぎに答えていたのは驚異的である。ここの幼児は英語の驚くべき知識を得ており、家庭では全般にわたり、家族のための通訳と見なされている。かなり幼いうちに学校に送られると、英語は彼らが学ぶ第一言語となる。生徒と教員の間でつねに取り交わされる会話によって、聖書の言語しか使われない学校ではけっして得られることのない実践的な英語の知識が与えられることになるという[83]。一八カ月からという英語の「早期教育」を受けると英語が第一言語となり、「家族のための通訳」となる、これが調査委員たちの理想だったのかもしれない。これはインドで血や肌の色はインド人でも趣向、意見、知性ではイングランド人であるような「通訳となるべき階級」を創設しようとしたマコーリーの言説と似ている[84]。

一八カ月の赤ん坊から五歳までの幼児が英語のアルファベットを覚え、家族の通訳となるほどに熟達し、それと同時にインド洋の島々、すなわちブリテン帝国の地理を学んでいる。これこそ、マコーリーがめざしたインドでの通訳階級の養成にも似たウェールズの小さな通訳集団の養成であり、それが成人の英語使用率がゼロに近い、この辺境で形成されつつあった。

第三章　イングランドとウェールズ

1　言語と宗教

(1) 文明と野蛮

前章では学校というミクロの視点から考察してきたが、本章ではウェールズ全体にわたり、それもイングランドとの関係から検討するという、いわばマクロの視点から見ていこう。

調査委員のリンゲン、サイモンズ、ジョンソンの三人はそれぞれリンゲンが南部ウェールズ、サイモンズが中部ウェールズ、ジョンソンが北部ウェールズと地域を分担して調査に当たったが、担当する地域がどうあれ、三人はポジティヴなキーワードとネガティヴなキーワードとの二つからなる二項対立的な図式を共通して持っていた。

ポジティヴなキーワードとは、この調査委員たちがわれらこそその代表と考えたイングランドと中流階級の価値観と結びついた性質を表す言葉であり、ネガティヴなキーワードとは、ウェールズの文化と社会の特質、およびウェールズの労働者としての階級の属性を持つと考えられる人々と結びついた性質を表す言葉であった。こういったキーワードで伝えられるメッセージは明白であった。それは、ブリテン政府はポジティヴでイングランド的な性質を奨励し、ネガティヴでウェールズ的な性質は消滅させるとのメッセージであった。そして、この報告書はこの過程の第一歩となるものであった(1)。

まず、サイモンズのキーワードは「光明」と「暗黒」である。彼は以下のように報告した。ウェールズでは「迷信が流布している。魔よけ、超自然現象、魔術への信仰は、文明と光明のさなかでも生き延びている。文明により、こういった暗黒時代の残滓はとうの昔に消滅させられたはずなのに。光明は、彼らの言語にかくまわれ、啓蒙の尽力にもかき乱されないまま、人々の心を覆い隠している濃い暗黒の中にいまだ浸透していない(2)」。

次のジョンソンは「文明」と「野蛮」を対比させた。野蛮とは、たとえば「床に入って求婚することで、ウェールズに広く流布している慣習」「結婚式に先立つ野蛮な慣習」と解説してみせた「バンダリング」である。便所のないウェールズの非衛生な学校も「野蛮で非道徳的な慣習」であり「ウェールズの文明を損なっている」。彼の言う「野蛮」とは、みずからが知らず知らずのうちに模範としていたヴィクトリア朝中流階級の行動規範には拘束されないウェールズ人の身体性に関連していた。たしかに、平日学校とは異なり活況を呈していた日曜学校は北ウェールズの「文明」の手段である。しかし、この学校もウェールズ語で教育される限り、便所のない学校やバンダリングをなくすのに成功していない。ジョンソンにとって、これもあれも、最後は英語問題に帰着する。多くのウェールズの労働者階級が英語を効果的に話せたり理解していないこと、この不十分さは「文明の不完全な結果」である(3)。

三人目のリンゲンのキーワードは、先の二人より単純にして率直な「高位」と「低位」である。社会経済的な言及があるのもリンゲンの特徴である(4)。この高低のヒエラルキーは言語に注目すると明白となる。リンゲンが言うには「特異な言語、ウェールズ語という現象があるために、私の〔担当〕地区では、大衆が社会の最上部分から切り離されている」。ウェールズ人は、社会の頂点には見あたらない。ウェールズ人の彼の使う言語が必要な情報を得ることも伝えることも出来ない言語であるために、彼はおちぶれたままになっている。それは旧式の農業、神学、簡素な農村生活の言語であり、それ以外の彼のまわりのすべての世界は英語である。

言語ゆえに、ウェールズ人は「高位」の者から無視され、「低位」の世界で暮らさざるをえず、「社会は完全に彼の頭上越しで進展している」。ウェールズの復興運動、レベッカ、チャーティストの勃発といった「奇妙で異常な事件」がおこって、「われわれ」イングランドのこれまでの「経験とはまったく相容れない」社会の言葉が注目を浴びるときを除けば、他のことは彼の耳にいっさい入らない、とも記されている。これらはすべて「社会」から完全に排除された結果、彼はその外部ないし底辺に置かれていること、さらには、浸透不可能な壁で隔てられており、彼が入り込む余地はないこと、要するに「高位」と「低位」の隔絶性を示している。(5)

(2) 言語と道徳水準

ウェールズの社会、文化のすべての局面が言語に結びつき、この言語問題がもっとも重要性をおびていた。そもそも、このウェールズの教育事情調査を最初に指示した命令書にウェールズの「英語の知識を労働者階級が獲得するのに与えられた手段」について調査し、「子供たちはウェールズ語でそれとも英語で教育を受けているのか、いずれの場合でも文法は教育されているかどうか」を調べよ、と記されていた。(6)

調査対象となったウェールズの労働者階級の人半(全体の四分の三ほど)が、ウェールズ語を話していたので、調査委員とその助手たちが「ウェールズのウェールズたるもの、ウェールズ性(Welsh)」を「ウェールズ語を話すこと(Welsh speaking)」と同義としていたのは当然であった。

サイモンズは、「ウェールズ人地域(Welsh districts)とはウェールズ語が普通の人々の炉辺の言語になっているところ(7)」と書いたし、助手たちも「教員はウェールズ人なのにウェールズ語で質問しない(8)」とか「例外を除き、彼らはみなウェールズ人で、英語はまったくわからず「パンとチーズ」は彼らの言葉（ウェールズ語）で何というのかと聞いてみてもらちがあかなかった[9]」と記した。

ウェールズ人としての民族性とウェールズ語という言語との同一視、あるいは両者は分かちがたく関連しているとの認識により、ウェールズ人の性質とウェールズ語とは強い連関性を持つと仮定された。言語と性質を結びつけてしまう事態は、ウェールズ人のネガティヴな性質を調査委員や助手たちが非難する場合に見られることになる。「清潔性の無視はイングランド化された地域よりも純粋ウェールズ語地域に顕著である[10]」とか、衛生の欠如は「ウェールズ的な性質の顕著な事実である[11]」とか「ウェールズの子供はこの王国のどこよりも（道徳の訓練を）必要とし、それを欠如している[12]」と、調査委員の報告には、道徳、衛生、清潔感の欠如が指摘され、これらの非難されるべき行動は、この言語を話す者の性格の一部とはっきりと見なされている。

彼らには、言語とそれを話す共同体住民の性格と見なされる行動様式を結びつける思考がある。ここに見られる、言語とそれを話す共同体が達した段階の「進歩」との関係、およびここから導かれる「高位」の者の話す優れた英語と「低位」の者が話す劣ったウェールズ語との相対的な言語の位置をめぐる同時代の見解に照らすと、彼らのこういった思考は当然と言うべきであった。

調査委員たちは、ウェールズ語と英語の両言語の領分を認識していた。ジョンソンは、ウェールズ語は家庭と宗教（関心がある者には詩）の言語であり、英語は商業、法律、公務といった職に就こうとする者の言語である。労働者の仕事は働くことで、詩や宗教は彼らには不適切な学習科目である。ウェールズ語は実践的な知識や技能を伝えるには役に立たない[13]。ウェールズ語は宗教を除けば「時代遅れで乏しい、（知識の）限られた供給源しか持たない[14]」。

ジョンソンによると「読み書き能力があるという石切工」もいると言うが、連中はウェールズ語で書かれたもの以外には知識を得る手段は何もない。読める者もいるにはいるし、その中の最上の者は英語の新聞も読めるが、連中も知識を得るために読んでいるのではない、と述べている。

読み書き能力はあってもしょせんウェールズ語からの知識ではたかが知れているとの指摘は、「優良なヨーロッパの図書館のたった一棚はインドとアラブの現地人が書いた全文献に匹敵する」と述べたマコーリーの傲慢な言葉（第五章、参照）に似てはいないか。

こういったウェールズの「文明の不完全な結果」は「ここの住民の知的状態」ばかりか、「北ウェールズのすべてのカウンティのあらゆる貧民階級の社会的道徳的状態」にも見られると、続けて述べている。[15] 言語と共同体の知的レベルを結合させたり、言語と社会的道徳的状態の関連にも言及するあたりも、同様な理由でインドの言葉を斥けたマコーリーに似ている。[16]

ジョンソンのコメントから浮かぶ全体的な印象は、ウェールズ語は救いがたい言語であることである。その理由は、ウェールズ語を第一言語、主たる言語とする子供は貧困な教育しか受けられないために「文明の手段」を利用できないことは真実であるばかりか、この言語が供給する資源があまりにも「乏しい」ために、どうあがいても文明の手段を利用できないからである。

ここから、もっとも重要な課題は効果的な英語教育である、と導かれる。教員の任命、教科書の採択の基準が英語を学校でうまく教える中心的な仕事になること、[17] および、子供は幼児学校で英語を学び始めるべきであると主張される。[18]

すでに見たように、言語に関する同時代の見解は、言語の知的レベルとそれを話す共同体の知的レベルは密接に関連しているということであり、共同体の知的レベルが低く、否定的な道徳的な性質も見られれば、それらと言語は緊密に関連していると認識された。ジョンソンはこの思考を担う典型的な人物の一人であった。

(3) 鉄道の時代と英語の広がり

リンゲンも「利益が英語を要求するなら、愛着はウェールズ語の方を好む。英語は、利益のために作るべき新たな友人と見なされている。ウェールズ語は大事にされるべき、とくに落ちぶれても見放されるべきではない古い友人と見なされている」と、家族、共同体、宗教の言語としてのウェールズ語、世俗の言語としての英語とする両言語の領分を認めている。ウェールズ語保持の意見にも一部耳を傾けている他、生まれながらの能弁、雄弁なウェールズ人が、今日、世間の必要に迫られて英語を話そうとするものの、ただちに不完全にしか話せない英語による自己表現能力はなさを知るのは「一種の恥辱の烙印」であろう、とまで同情している。

しかし、ウェールズでは「英語の無知とは切り離せない、何重もの悪弊 (evils) について、四方八方で耳にした意見があった。この悪弊はあまりに分かり切ったことで、広く認められていることなので特筆する必要もない[19]」として、以下のような意見を述べている。

(ウェールズには) このような地盤に立つウェールズ語とウェールズ語の影のもとに住民を取り囲む特殊な道徳上の雰囲気がある。この両者には強い相関関係があり、この言語はこの道徳と合致する考えしか伝達できず、この道徳とは合致しない考えを伝える試みはすべて失敗に終わる。……共通言語 (=英語) 以外の手段を使っても思考は共通のものとはならない。一つの言語からもう一つの言語に移っていく公式の水門を開くのは不可能である。この流布には、数え切れないほど無数の細かな気孔が空いたネットワークが必要である。このネットワークなくしては、死んだ異境の環境に思考がいきわたることはない。真鍮の壁のように、間接教育 (学校以外の場所) が、人々の言語 (ウェールズ語) によって排除されているところでは、それは居場所がなくなっている[20]。

やや難解な比喩を含む文章ながら、ここでは、まず、他の調査委員と共通して、言語と道徳は関連するものとして論じられている。「公式の水門」という表現は、水門の両側にある二つの言語、英語とウェールズ語が、いかに異なる「水位」にあるかを強調するものであり、ある言語から別な言語への移行、すなわち翻訳や通訳の試み、水位を同等にして「水門」を開くのは不可能なこと、「真鍮の壁」の金属的で堅い比喩も、ウェールズ語と英語を分かつ分断の厳しさ、厳格さ、不浸透性を強調している。また、英語の流布を容易にするためには「公式」の学校教育の領域に限定せずに「間接教育」、すなわち人々が教室外で獲得する知識、情報を通じてなされるべきである。学校教育に寄らない人々の無数の交流を、「気孔のネットワーク」に喩えており、これなくては「死んだ異境」のウェールズにいつまでもイングランドの思考が広がらないことを示唆している。

リンゲンは、鉄道や主要道路と、鉄鉱や石炭の鉱山への英語を話す労働者の流入など今日の活動と接するあらゆる場所からウェールズ全土に、英語が急速に広がっていると告げ、鉄道と大鉱床の全面的な開発は、こういった接触点を倍増化させる前夜となっているとして、「ここに人々の教育の大義を活発に突き動かす原動力がある」と宣言している。

要するに、リンゲンの主張は、学校では、この地域では母語になりつつある英語で教育を施し、鉄道が提供してくれる地位と同様のレベルに人々を押し上げるべきであり[21]、学校以外でも、英語を習い、ウェールズ語を忘れなさい、これがウェールズ人労働者の取るべき正しい自然の道である、というものであった。これは、一八四〇年代の鉄道の時代を背景にして、ウェールズへの英語の流布の正当性を主張したものである。

ここで、いったん四七年報告書を離れて、今日の研究者が作成したウェールズの一九世紀中葉の使用言語圏を確認しておこう。ドット・ジョーンズは、一八四四年から一八五〇年までの史料をもとに、教区教会で使われていた言語を「ウェールズ語」「主としてウェールズ語」「二言語使用」「主として英語」「英語」「情報なし」に分けて、言語地図を作成した。この地図を見ると、イングランドと国境を接する地域には英語圏は、従来からの交流の他に新しい鉄道や労働者の流入でじわじわとかなり食い込んでいるし、国境に接していない南部沿岸地域でも鉄道や主要道路沿いに英語圏ができている。その先は二言語使用圏が全域に帯状に広がっており、ウェールズ語使用圏と接している。第四章冒頭でみる四七年報告書に一人反発した教区のスランフェア・カエレイニオンは二言語使用圏にあった。二言語使用圏はウェールズ語使用圏の中にも「飛び地」のように存在していることも分かる（図3-1）。第二章でみた罰札の報告があったスランダルノグもこの「飛び地」にある。

（4）真実をゆがめるウェールズ語

サイモンズも他の二人と同様、英語を学びたいとのウェールズの貧民の要求を認識していたが、他の二人と違うのは、その要求が「もっぱら金銭的な動機」だとしている点である。[22] また、英語の急速な普及にはリンゲンほど楽観的ではなかった。リンゲンの担当した南部地域には英語が普及しつつあったが、サイモンズが担当地域となった中央ウェールズ（ラドノー、ブレックノック、カーディガンの各州）の中でもとくに西のカーディガン州は田園地帯でまだ一部の住民しか英語を話さず、すべての住民が英語を話すには相当な期間がかかると見ていた。

サイモンズは後にひんぱんに引用されることになる以下の文章を総括報告に記した。まず「ウェールズ語はウェールズにとり大きなマイナスであり、ウェールズ人の道徳上の進歩や商売上の繁栄にとって何重もの障害となる」と述べて、ウェールズ語は、ウェールズ人が自分たちの文明を大いに進展させるはずのイングランドとの交流をする妨げとなり、彼らの精神的な知識を改善する道にじゃまとなる、とした。この証拠としてウェールズには文学に値するものが見られない、ウェールズ語で読めるものは唯一月刊誌があるだけである、と続けている。

さらに、ウェールズ語の害悪が恐ろしいほどはっきりとしたものとなるのは、裁判所においてである、として裁

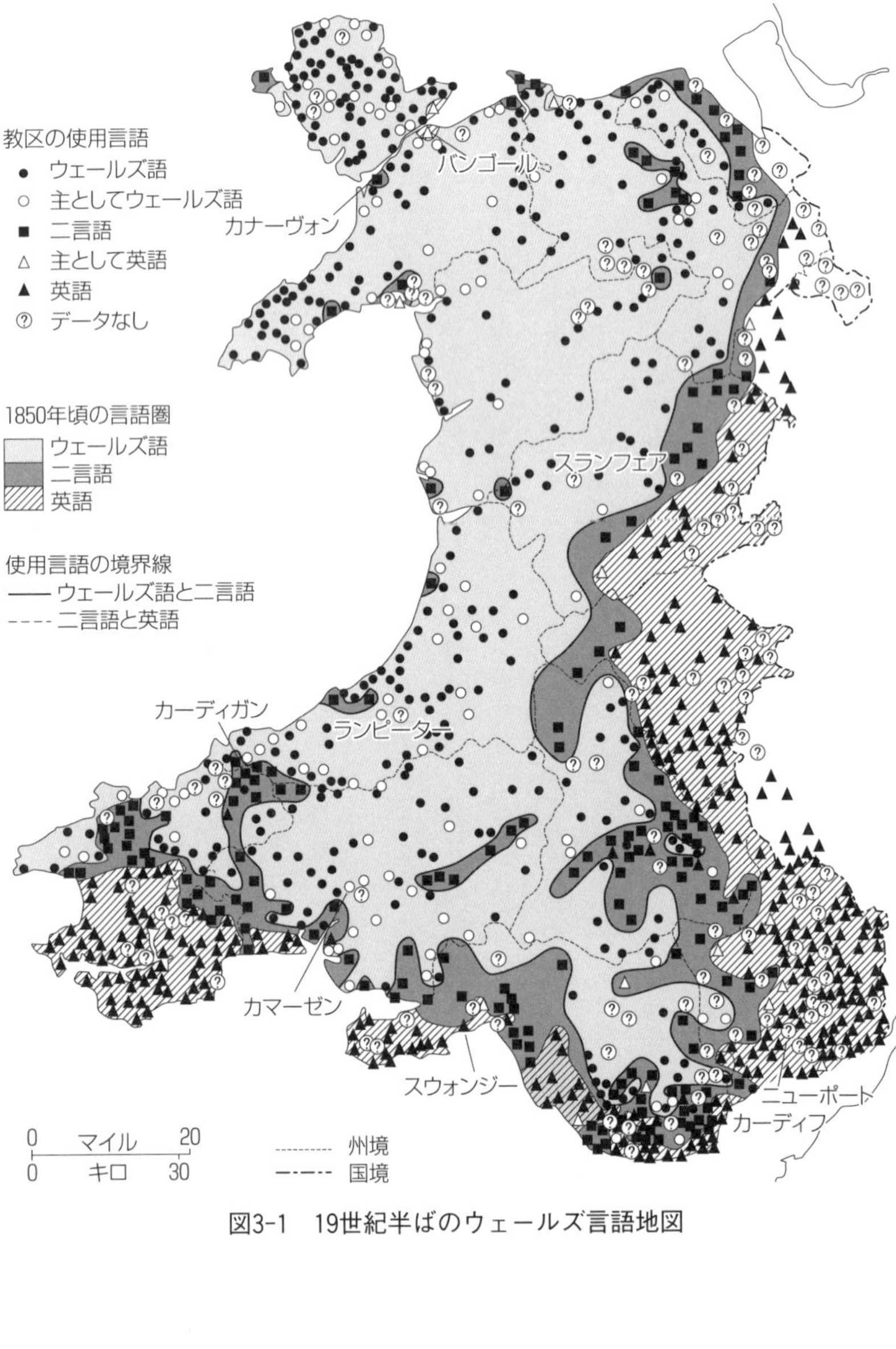

図3-1　19世紀半ばのウェールズ言語地図

判の場におけるウェールズ語に視点を移している。ウェールズ語は、「真実をゆがめ、詐欺を勧め、法廷で頻繁に見られる偽証をそそのかし、解釈の抜け道を通じて探索を免れさせる」。こういった欺瞞が成功して公のものになると、公衆の道徳や真実の尊重に対して深刻な影響を与えることになる。「ウェールズ人の犯罪者とウェールズ人の陪審がいて、弁護士と判事が英語で話すというイングランドの裁判のまねごとは、あまりにお粗末でひどいために論評の必要もない。しかし、これはウェールズ人に英語が教えられるまではなくならないに違いないインチキ裁判である」という(23)。

この文章はひんぱんに引用され、イングランド人がウェールズ語を非難する代表例とされてきた。ただこの箇所だけが取り上げられ前後の文脈を含めて論議されることはめったになかった。このような文言にはいったいどのような背景があったのだろうか。またここでなされたウェールズ人やウェールズ語に対する批判はあまりに辛辣なので、この判断のもととなったのは何だったのかは知るに値しよう。

背景となったのは一つの「インチキ裁判」の事例であり、ウェールズ語への非難はこれを唯一の論拠としたもので、他の論拠はない。あるレイプ事件をめぐる裁判で、ウェールズ人の被告に対しウェールズ人の陪審に基づき最初有罪が言い渡された。しかし、これは後になって破棄されて、被告は無罪となった。前記のサイモンズの報告はこの裁判報告をもとにしている。サイモンズ宛の報告を書いた当裁判の法廷弁護士E・C・L・ホールは、これ以前のレベッカ暴動での報告書にも登場して、ウェールズ語の駆逐に賛成発言をしている人物であった。この事例では、ウェールズ人の陪審が討議の後、陪審長が「有罪」を宣告し、それに基づいた判決も下された。しかし、その直後に数名の陪審がその友人でもあった被告に脅迫されると「あれは陪審長の宣告であり、自分たちは英語がわからなかったために知らなかった」と言い逃れた。そこでこの裁判はやり直され、それを経て判決が破棄されるに至ったというものだった(24)。

これはホールには勝算があった裁判であった。この報告の詳細さや長さから判断すると、勝算があった裁判に負けたことへの恨みがましさを感知できる。陪審員への脅迫に対する断固たる対処こそこういった不正への解決策となるはずであるが、そうとは考えず、矛先は自分が望む判決を下さなかった陪審員同士がひそひそと話す理解不可能で危険な言語であるウェールズ語へ向かい「二言語は偽証をたやすく導く」、したがって、欠陥のあるウェールズ語を法廷から消滅させよ、と決めつけたのである。(25)

ともあれ、一五三六年に発布された連合法にあった「裁判にあっては英語を使うべし」との言語条項以来、司法は教育とともにウェールズ語の使用が抑制された場であった。したがって、サイモンズの総括報告は法曹仲間のホールを擁護したものとも言える。サイモンズは、前記の有名な一節に続けて、裁判のまねごとは英語教育がなされるまで続き、英語教育のための効果的な学校ができてはじめてそれはなくなる、と学校に期待をかけている。さらに「よい学校」は、ウェールズにおけるあらゆる道徳上の改善や人々の進展にたいする重大な障害を取り除いてくれる。一〇分の一も英語が話されていない地域を見ると「これから百年ないし二百年かけても英語がウェールズの全土に行き渡るとは信じられない。ただし、この進歩を妨げないよりよき手段が講じられるならば話は別である」として、この手段こそ「この目的を遂行する完璧によい学校である。学校は（ウェールズの）人々の望みである。健全な世俗教育と宗教教育が肉体の状態を向上させ、道徳的な堕落を取り除くことには何ら疑念がない」として、「ウェールズ人がよい教育を受け、彼ら以外の人々が享受してきたのと同じ注目と配慮を受けるならば、文明国の間でも高いランクに仲間入りする可能性がある」と結んでいるのである。(26)

ここで再度認識すべきは、英語による学校教育を進展させれば、ウェールズも高い文明国になるという未来図よりも、英語教育をする「よい学校」をつくれば、ウェールズ語を原因とする「道徳的な堕落」を除去できるとの確信と、言語とそれを話す人々の道徳の結合のさせ方である。

（5）宗教問題

宗教はウェールズの日曜学校の主要科目であり、平日学校でも容易に手に入れやすく安価だった聖書を使用して読み方を教えていた。学校視察では、他の科目より宗教に関する質問が多く、報告書にもキリスト教の教義、聖書、聖書物語に関する質疑を詳細に記録している。

調査委員や助手にとって、ブリテン社会のメンバーであれば、キリスト教の基本的な知識がいかに浅薄なものであれ、それは持つべきものであり、持たざる者は救済の手段ばかりか文明の手段にも欠如する者であった。彼らにとって、次のような事例は驚きだった。

今日この教区への道すがら、七歳の少年と会い、ウェールズ語で語るには、彼は平日学校にも日曜学校に行ったことはないし、最初の人間が誰か知らないし、イエス・キリストというのも聞いたことがない、という。それどころか神についても、その霊についても何も知らないと答えた。よこしまな人は死後どこに行くのだろうか、と尋ねたところ、ウェールズ語で「われら貧しき者たち」というばかりだった。[27]

このようなイエス・キリストも知らないキリスト教の枠外にある子供は、彼らにとって、精神的にも道徳的にも危険な地域にいるばかりか、社会への潜在的な脅威にもなると思われた。なぜならば、彼らには通常の道徳観を養う機会が欠如しており、放っておけば、レベッカ暴動やチャーティスト運動のような政治的社会的扇情者の容易な餌食になってしまう可能性があるからである。この七歳の少年も無知が矯正されない限り、彼が住む共同体の安定性に対する潜在的な脅威となった。子供のキリスト教の知識は社会的規律化の要石でもあった。

それゆえに、学校では決まって子供のキリスト教の知識を試したばかりか、学校のない地域でも、たまたま会った子供に近づいて、基本的な知識を質問した。子供たちの無知はあまりにひどいもので「異教徒としか思えない無知」「神を冒涜するほどでここでは実態を記述できない」とひんぱんに報告された。

一九世紀半ばのウェールズにおける宗教は国教会と非国教会に大きく分離していた。前者は権力と地位を持ち、後者は数を持っていた。一八五一年のセンサスでは八〇％が自分たちを非国教徒の一員かその支持者と思っていた[28]。調査委員は、イングランド人国教徒として国教会と国家との間の法的政治的紐帯を正当で必要なものと見なした。彼らが問題としたのは、ウェールズでは宗教が無視されていることや、ウェールズ人には宗教が充分ないことというより、彼らが信じる宗教が間違った種類の宗教だったことであった。調査委員のインフォーマントの多くにとって、ウェールズの国教会は真理と礼節の見張りの塔であり、非国教徒は教義が不健全であるばかりか政治的にも不信を抱かざるを得ない存在であった。

調査委員はほとんど因果関係がない二つの要因、非国教徒と貧民の慣習や行動をたびたび並置した。次の例は典型的な記述である。

ウェールズのメソジストはこの近隣から出てきた。しかし、メソジストは近年ではあまりに蔓延して猖獗をきわめているために、ここならではのメソジストの教えの特徴といったものももはや見いだせない。貧民の極端な不潔の慣習は、どこにも見られるものながら、（他のどこよりもひどいとまでは言わないが）ここもひどい。少しは見た目の清潔さや見栄えのよさも期待される町なのに目に余る。糞尿が山となって通りや小路にあふれている。寝たり起きたりする部屋が二つ以上ある家はない。筆舌に尽くしがたい不潔と無秩序状態になっている。豚と家禽類がいつも同居して家族の一員となっている[29]。

これはウェールズの非国教徒の一宗派メソジストが出現したという地域の説明である。

通りにあふれかえるほどの糞尿の強烈な描写を通じて、絶筆に尽くしがたい不潔とメソジストは無理に結びつけられている。寝起きする部屋が一つしかないとの指摘は性的な「無秩序状態」を暗示する。もちろん、糞尿の山を生み出している共同体の貧困や部屋数の少ない家を生み出している貧困がどこから来ているのかを見ようとする意は少しもない。全体的なメッセージは、豚や家禽類と家族同様に同居するメソジストは「亜人間」である、というものである。

調査委員たちは、平日学校は国家の関心事だったから、平日学校の宗教教育には厳しい態度を示したが、日曜学校は国家の管轄下ではなかったという事情もあり、日曜学校の一般的傾向は決定的に役に立っているとか、ウェールズの田舎では非国教徒の日曜学校も「文明の主要な道具」と評価したこともあった。ただし、日曜学校の教員も暗記教育なために質はそれほどよくなく、ここの宗教教育も暗記一辺倒と批判した点は平日学校と同様だった。

調査委員が困惑したのは「宗教における伝道精神の熱心な作用」と対比的な「世俗教育の無視」であった。本や雑誌はほとんど宗教関係ではないか、聖書を隅々まで知っている人々もいるが、聖書以外に何を知っているだろうか、「日曜学校の生徒は全般にウェールズの地理よりもパレスチナの地理の方が詳しい[30]」のではないか、いまの地理よりも大昔の地理に詳しい世間知らず、というのが彼らの感想であった。

非国教徒ウェールズ人の宗教好き、宗教本の多さへの批判を通じて、調査委員の理想とするウェールズ人宗教教育のモデルが見えてくる。それは、イングランド国教会が理解する、キリスト教の基本的な信念を教えるべきで、詳細にわたる聖書の探究ではないし、その内容に立ち入って深く解釈を試みたりすることでもない、聖書のもっとも有名な話と、ウェールズ人よりも物知りの解釈者に従って教理問答を理解することである。宗教教育の目的は国教会に所属して国教会の学校に通って、ブリテン社会の権威への服従を学ぶことであった。

2　さらなるネガティヴイメージ

（1）性的言説

以上のように、イングランドとウェールズは、光明と暗黒、文明と野蛮、高位と低位、と対比的なイメージで論じられ、言語問題でも、ウェールズ語は道徳的な堕落、時代遅れ、不完全な文明、特殊な雰囲気と見なされ、英語と間にある真鍮の壁のイメージで論じられた。ここで見られるのは、王国のよき市民になるのに必要とされるブリテン性からウェールズ人を切断してしまう圧倒的な両者の格差、対照性、切断のイメージである。

そして、これらの両者の対比や格差認識の前提の一つになっているのが、言語とそれを話す人々、共同体の「進化」の関係であった。英語はそれを話す人々の高度な「進化」とともに語られ、ウェールズ語はそれを話す人々の低位な文化や道徳とともに語られた。ウェールズ語と結合すると想定されたウェールズ人の性質をめぐるネガティヴなイメージは、前記で検討した以外の問題にも見られた。以下ではこれを見ていこう。

先に触れたように、ジョンソンは、日曜学校が北ウェールズの文明の手段となっていることは認めながらも、「ウェールズの文明を損なっている」非衛生的な慣習を終わらせるにも、「この土地固有の文明という不完全な性質をいやが上でも物語る」男女混合の寝所を終わらせるのにも、「いかなる文明の手段にも阻止されていない」バンダリングを終わらせるのにも成功していない、と報告した[31]。

ここでは非衛生、男女混合、バンダリングが文明によって克服すべきセットとなって登場している。この三つを結ぶものはウェールズ人女性である。ウェールズの家庭は不潔で非衛生的であるかぎり、家庭の道徳性を保てない。家族の一員たる女性は、床を洗い流し、清潔さを確保して、道徳的な気品を整えてはじめて、彼女の責任を全うする。少なくとも、調査委員たちの眼にはこのように映った。したがって、ウェールズ人の性的道徳性についての報告書のコメントは、圧倒的にウェールズ女性の性的道徳性に集中した。そして、あとあと、この問題をめぐっては、ウェールズでは広範にわたって、これまで最大と言ってもよいほどの敵対的な反応を引き起こすことになった。

報告書でもっとも痛烈なコメントの多くは、おもに「バンダリング」と呼ばれる慣習に対するものだった。今日の辞書を引くと「着衣同衾、婚約中の男女が着衣のまま同じ床に寝るウェールズやニューイングランドの昔の習慣[32]」とあり、専門の事典には「一八―一九世紀のイングランド旅行者の関心を引きつけたウェールズの「ベッド上の求愛」。求愛期間中に処女の使用人がたびたび夜に寝室に呼ばれた。靴を脱いで、カップルは（ベッドの中ではなく）ベッドの上でおしゃべりする。おしゃべりしている間は階下の人には不適切な行為はないと見なされた。性的な「不道徳」があるのでとの疑いは、一八四七年以後の政府報告書（青書）から生まれた[33]」とある。要するに、これは、あくまで旅人の視点から創り上げられた異境の物珍しい慣習であり、以前のイングランドの旅行者には、単にウェールズの風変わりな慣習のピクチュアレスクな名残りとも思われていた。ところが、四七年報告書が書かれた時期になると、罪を駆り立てるばかりか、結局は罪の事例となるものとなった。四七年報告書がこの変化をもたらしたこととともに、このような事典に四七年報告書が登場していることも注目してよいだろう。

サイモンズは、自発的に証言をしてくれた人が教えてくれた低道徳の一つである女性の貞節のなさを説明する中で、バンダリングを「床に入って求婚することで、ウェールズに広く流布している慣習」と説明している。女性の貞節の欠如は、「バンダリング」および「夜の祈祷会」（これは男女が連れだって暗闇を家路に帰る機会を与えると考えられた[34]）、さらには、既婚者も未婚者も、両性一緒くたにして、部屋の区切りもなければカーテンもなく、寝床をくっつけて、同じ寝室に寝させる慣習からも由来している。これは貧民ばかりか上層部にも広がっているおぞましい慣習である[35]と、述べている。バンダリングという「結婚式の前の野蛮な慣習」は「獣のように下品」であり、「貞淑の欠如」

は既婚者も未婚者も農場の同じ寝所に「放り込むというへどの出るような慣習」のためだ、とも書いた[36]。リンゲンも各地からの報告文に「全般にふしだらというウェールズ人農民の娘のうわさには驚かない、ふしだらでない娘たちの方に驚く[37]」とコメントする中で、男女の使用人の寝室を分けない農民を非難した。

ジョンソンは、「いかなる文明の道具を使っても食い止められていない」悪徳があり、これは「ウェールズに特殊な悪徳」としてながいこと行われてきたもので、その結果、「その存在はほとんど悪徳とは見なされていない。こういったウェールズの慣習のために、結婚式の前に行われる野蛮な風習が正当化されると言われている[38]」と述べた。こういった「悪徳」とも見なされていない「慣習」の結果、バンダリングという「野蛮な風習」が正当化されるとの筆の運びは、「慣習」と「野蛮」を直結させる論理である。こうなればウェールズの「慣習」であれば何でも「野蛮」となると言うに近く、ウェールズの文化全般への厳しい攻撃となってくる。

(2) 情報提供者への依存

ジョンソンにこう書かせた情報提供者はいずれも国教会牧師だった。彼らは、貞操の欠如を嘆き、娘が寝床に誘われる慣習、その結果としての庶子の多さ、その原因としての教育の欠如を指摘している[39]。これらは非国教会の成功に煮え湯を飲まされていた国教会牧師の情報だった。彼らにはロンドンからの調査委員の到来を利用して、調査委員の権力を借りて、非国教会に逆襲する意図があったとの非難がまもなくなされることになる。だが、ジョンソンは、このようなインフォーマントの多くの見解を、ほぼ鵜呑みにして、ウェールズ人の「野蛮」な性質を例証する事実であるかのように提示した。

しかもジョンソンは、これらの貞操の欠如、性的悪徳とそれに伴う庶子出生率の高さを教育の欠如と結びつけて、以下のように述べた。「これらは全面的に教育の欠如によるものであり、よりよき教育、より全般的な文明の力を借りて、恥と慎ましさで今の慣習を考えてみる教育がなされるまで、いかなる法による抑制も罰もこの悪徳を食い止めることはできない。この恐るべき悪徳に対処するには、ウェールズの現在の教育制度ではまったく無力である」[40]。

こういった異文化の地を訪れて短期間の調査をする場合、とくに性的な慣習といった話題に関しては、「異国」からの旅行者であれロンドンからの調査委員であれ、外部からの訪問者には他の社会的行動よりも見えにくいために、調査委員はインフォーマントに依存せざるをえなかった。自力で調査をしようにも、言語の壁があった。リンゲンはまったく英語が通じない地域＝異文化の地域に調査に出かけたために、「私の言うことがだれ一人として一言も理解できない」一六、七人のウェールズ人に取り囲まれた経験を記した[41]。地元の情報を得るには英語が分かる「イングランド化された」治安判事や国教会牧師などの「インフォーマント」に頼らざるを得なかった。

サイモンズも教区に着いたら最初に会うインフォーマント＝情報源となる人物として地元の国教会聖職者を指定していた[42]。このために訪問先の場所や制度の「性格」の叙述はこれらのバイアスのかかった情報源の見解に依存することになった[43]。

インフォーマントの情報は、調査対象となった地域住民の意見の一部にすぎないにもかかわらず、あたかも当該地域の意見の代表的な意見であるかのような見解が形成されてしまう。これがとくに当てはまるのが、おおっぴらには論じることができず、隠微な形をとるが流布しやすいヴィクトリア朝の性的言説である。

そして、このような性的言説をめぐっては、それにコメントする側の階級的な視点のありかも考慮すべきである。イングランド人の中流階級で大学教育を受けて将来を嘱望される法曹界の若い男性から見れば、ウェールズの男女の労働者階級の人々は、自然に近く、それゆえに文明からは遠い存在であり、性的行動を人生のあらゆる局面に持ち込み、人生の目標を変えてしまう人々である。いわば階級的な「他者」である。イングランドの中流階級の男性としての調査委員にとって、性的な問題はもっぱら道徳問題にとどまった。一方、性的行動により人生の目標を変えてもよいウェールズの労働者階級にとっては、道徳の維持よりも現実の問題が切実だった。労働者階級の性的行動に関する情報を耳にしても、調査委員たちは、イングランドの中流階級の標準的な道徳規準からしか対応できなかった。したがって、性的行動の道徳問題に集中した、調査委員たちの見解の特殊性を一考してみる必要がある。[44]

(3)「高貴なる野蛮人」、動物の比喩

言語と深い関連性をもつウェールズ人の性質には、あとあとも注目されることになる性の次元の問題の他に、犯罪の問題もあった。犯罪も低い道徳性がらみで報告書に登場する。そこではウェールズ人の低い道徳性が指摘されていた。ウェールズでは殺人、強盗、個人的暴力、強姦、偽造などの大きな事件が起こっていないのはヨーロッパでも随一だが、小さな盗み、嘘つき、詐欺、あらゆる種のペテン、泥酔、怠慢といった、ささいな犯罪が多く、道徳性がこれほど低い国も少ない。これを罪とも思ってもいないもっとも教育のない人々にあふれている、[45]とやはり、小さな犯罪の多さ、道徳性の欠如、無教育と関連させて論じられている。

このように論じたサイモンズは、一方では、ウェールズに「罰に値する罪」がない大きな原因は「悪意の行動、他人への周到な中傷をすべて思いとどまらせる自然の慈しみ、心の温かさ」があるからであり、ウェールズ人は、共同体の構成員同士による儀式費用を相互援助するという「古くからの慣習」を証拠とする「推奨されるべき特質」を持つ、と書いた。[46]こういったウェールズ人の性質を説明する「自然」という言葉にロバーツは植民地の「高貴なる野蛮人」の言説との共通性を見ている。[47]ウェールズ人の性質を叙述する言説は植民地や帝国の言説と類似してくる。

もちろん「自然」という言葉には文明との接触がないナイーブという意味もあり、ウェールズ人はこの性質も併

せ持つために、煽動されやすい、だまされやすい、とも見なされた。それどころか、サイモンズがモンマス州のウェールズ人について述べた、賃金を子供の教育費とか自分を「向上」させる手だてに使わずに、もっぱら「肉欲と獣の快楽」に使う人々と、[48]もっと露骨な表現にもなることがあった。これは、第五章で検討する枢密院教育委員会永代事務長ケイ＝シャトルワースが帝国各地の「有色人種」について述べた「興奮するとたやすく我を忘れ、文明社会の農民にはふさわしくないと見られる娯楽を必要とする人種」「野蛮から出現したばかりの人種」という言い方とも似ている。

レベッカ暴動とチャーティスト運動に馳せ参じたウェールズ人は、十字軍に馳せ参じた「蜂の大群（swarm）」のようだ、と表現された。「蜂の大群」のようにウェールズ人を動物にたとえること、ないし、動物との類似性の指摘は、当時も人間の「卑しさ」に言及する際に頻繁に見られたが、報告書に盛られた数の多さと多様性は注目に値する。[49]これは先にも触れたように、バンダリングは「獣のように下品」とかという言い方で、性的な行動にあてはめられたことは言うまでもない。以下の引用文は動物との近さを報告している。

豚と家禽類がいつもいる家族の一員となっている。町に通じる入り口の一つになっている小径を降りていくと、大きな雌豚がドア（の下半分が閉まっていた）に近寄り、ドアの上の部分に前足をかけて、揺すっているのが見えた。腕に子供を抱えた女性が道の向こう側から駆け足で横切り、急いでドアを開けた。雌豚はその遅れに腹を立てているかのようにブーブー鳴きながら家に入っていった。女性がこれに続き、ドアを閉めた。[50]

ウェールズでは家族の一員である豚が、ドアを開けるのに遅れた女性に腹を立てたかのように家に入ったと擬人化されている。この逸話風の叙述の効果は、慣習と生活状況において、人々と動物との近接性、および人が動物並みの生活環境しか持っていないことを示す。[51]

生活様式全般についても、ジョンソンは牧師の見解（カナーヴォンの人は「生活慣習が獣のようだ」）を引用して、彼らは「獣のように無知である」と記述した。ウェールズ人が住み仕事をした家や部屋についても、ウェールズの小屋は「厩にも不適切」だとか、この家ときたら「豚舎よりもひどい悪臭」がするとか、連中の学校は「（野獣の）巣窟」「畜牛をかくまうのにも不適切」「犬小屋よりも悪臭がする」と報告した。個々のウェールズ人は知的だが、大半は「羊のように愚かでぼんやりしている」。使う言葉と言えば「獣が叫び声を上げる」だけですぐ用が済むようなことしかいわない。[52]

（4）帝国の言説

動物のたとえとともには、ウェールズ人は他の軽蔑される集団とともに「人間」のカテゴリーの最底辺に置かれた。たとえば、調査助手の一人は、ブレックノック州の田舎にいて学校など行ったこともない少年について「あいつと粗野で無教育なホッテントットとはまったく変わらない」と書いた。[53]「黒人（Black people）はウェールズ以外ではどこの国（トルコ、スコットランド、スペイン、カナダ）にもいる」[54]と答えた生徒も記されているし、[55]第五章で見るように、西インドの奴隷やアフリカの「ニグロ」[56]のことも教えられていた。

報告書にはホッテントットやニグロばかりか、これも最底辺に位置する「泥棒と売春婦の隠れ家」がある「中国と呼ばれる地区」が出てくる。この地区は「一種のウェールズのアルサティア（Alsatiaとは、負債者や犯罪者が逃げ込むアジールであったロンドンのホワイトフライアーズを指すスラングである）[57]」とも言うべき「泥酔通り」である。リンゲンはここを探訪し、冬だったので事件にも酔漢にも遭遇しなかったが、夏には若い男女が飲み歩き、夜通しで底抜け騒ぎを繰り返す、と書いた。[58]

報告書には、同じようにロンドンの貧民街と比較して「人が住めない家が立ち並ぶロンドンのセントジャイルズ、カウクロス、ウォッピングなどの街を見たことがあるが、詰め込みといい不潔さといい、人が住むにはまったくふさわしくない、この地域の小屋ほどひどいのは見たことがない」と始まる、次のような貧民の小屋に立ち入った報告もある。

小屋一は、天井が低い一二平方フィートの一室のみ。不潔なぼろの寝台に横たわっている、すすけて黒くなっている老人が一人いた。同小屋には憔悴した息子が一人同居。小屋二は汚くきわめて小さな部屋が一つあるが、耐え難いような狭さ。床は土と石。中央では白痴が椅子にすわっていた。七〇か八〇歳の彼女の母が傍らの寝台に横たわり、病気で骨と皮になっていた。部屋には家具とよべる物は何もない。小屋三には男とその二〇歳ほどの白痴の息子二人がいた。小屋四は部屋が一つで、父と母、その娘と夫がいて、部屋が狭いので近接しておかれた寝台を占拠していた。寝台は汚く、家具は悲惨で、風通しも悪かった。小屋五は、一部屋の小屋で、成人の姉妹、成人の兄弟四人がいた。四人が同じ寝台を使っていたが、少し大きめになっていたが、同じ寝台だった。屋根は低く、通気も悪かった。これらの家に近くにはどこにも便所が見あたらなかったし、村全体でも見かけなかった。(59)

不潔、狭さ、寝台の共有、通気の悪さ、便所の欠如、ここには調査委員たちが彼らの基準である、ヴィクトリア朝期の中流階級の受容可能な行動規範とは著しく異なるどころか、それに反したウェールズ人の特徴が集約的に記述されている。ただし、これらはまったく未見ではなく、すでにロンドンの貧民街で見ていた。ロンドンで見ていた光景を手持ちのコンセプトとして、ウェールズの貧困地域を既視感として記述したといった方が正確かもしれない。また、その多くはウェールズ人の特質というよりも労働者階級の貧困と関連するものであった。しかし、これらはいかにもウェールズ特有の状況であるかのように書かれると、労働者像というより、イングランドと比較すると劣等というしかないウェールズ人像の構築に使われてしまうのである。

リンゲンは現地の言葉ができないために、衣服と外見から日曜学校の生徒（成人）の属する階級を判断した。階級は人々の経済状態をそのまま反映する時代であったし、見知らぬ人でも着ている服によって、豊かな階級に属しているか貧しい階級に属しているかを判断できた。町で行き交う人々の階級を衣服や外見から知ろうとしただけであったが、これは自信満々に行われ、金持ちと貧乏人の区別ばかりか労働者階級の微細な相違（農業労働者と採掘工などの相違）までかぎ分けて、判断を下した。リンゲンはこの才能を持つ特別な人物であるかのように誇示した。[60]

これも言葉ができない分、嗅覚が鋭くなったか、あるいは生来嗅覚が鋭かったかは不明であるが、リンゲンは「におい」に対しても敏感であった。ウェールズの不潔、汚物、赤貧をにおいで感知した。便所のにおいも気になった。便所は道徳性と直結し、便所のない学校、男女区別なしの便所には危惧の表明がなされた。リンゲンをはじめ調査委員にとって、清潔さと道徳性は緊密に連携していたし、清潔さは道徳性の目に見えるサインと見なされた。裏返せば、不潔さは道徳の堕落であった。[61] これも第五章で触れるようにケイ＝シャトルワースの植民地学校の設立目的にも「有色人種」に「清潔さ」を教えることが重要視されていた。ウェールズ教育調査委員たちもこれを引き継いでいたかのように「清潔さ」に触れた。

以上、「高貴なる野蛮人」「動物との類似性」「ホッテントット」「中国」「不潔と清潔」などウェールズは植民地や帝国とたえず比較されたり、これらが比喩として持ち出された。ウェールズ人を「怠慢」「詐欺」と描写したのは、植民地の黒人奴隷や原住民の性格描写に酷似している。ウェールズと植民地や帝国をめぐる言説は驚くほど類似していた。この点で、この調査自体、一種の「植民地状況」のもとでの人類学的なフィールドワーク調査とも言えるとし、インドとウェールズを並べて論じたクープランド、ヘクターの指摘は正鵠を射ているし、[62] 調査委員のウェールズ調査の仕事は、植民地の「フィールドワーク」に出かける「人類学者」の仕事に似ていたとし、リンゲンを、フィールドワークから帰ってきた直後に、発見した「部族」について、得たばかりのそれも些末的な知識を並べ立てようと腐心する人類学者のようなところがあったとのロバーツの指摘も当たっている。[63]

「人類学者」としてのリンゲンが面目躍如としているのは次の一例である。教員も生徒も英語しか理解しない地域ペンブローク州はヤーベストンの村の学校の教員をウェールズ人助手ウィリアム・モリスは「ペンブローク州のイングランド人」と呼んだ。この文言をとらえて上司のリンゲンは「私の助手はウェールズ人であり、この表現はウェールズ人がペンブローク州の南部にいだく感情を示す」とコメントした。[64]

ペンブローク州は、奥まった海岸地域で、一一世紀以後のフランドルおよびイングランドからの移入民の結果、南部にイングランド王室のプランテーション[65]が形成され、もとからいたウェールズ人は追放され、フランドル人は英語を学んだこともあり[66]、その一部が英語地域、すぐ北部からウェールズ語地域となっており、この言語の二分裂がこの州の大きな特徴である。[67]

こういった歴史的経過から、ここでは古くから、ウェールズ人とイングランド人の対立があり、この地域に寄せるウェールズ人の感情は複雑である。ウェールズ人助手によるイングランド人教員の表現もただのイングランド人ではなく「ペンブローク州のイングランド人」と表現している点で微妙な立場を表現している。ロバーツは、リンゲンのコメントを引用して「リンゲンは部族間にある伝統的な敵対心をすべて知っているかのように、イングランドの読者にひけらかす人類学者となった」と述べている。[68]「部族間の敵対心」とは、アフリカにおける部族間の敵愾心に似たウェールズ人と「ペンブローク州のイングランド人」との間の微妙な敵対心を指している。

第四章　ウェールズからの反発、イングランドの対応

1　叛乱の覚書

（1）自発的な調査

四七年報告書は政府側の立場からのウェールズの教育事情、教員、生徒の調査であったが、実は、政府の報告書に楯突く形で、ウェールズのある地域の有志が独自に行った教育状況の覚書が本報告書に収録されている。反発の姿勢が見られるために、本来ならば政府側にボツにされるところであり、これがなぜ収容されているのかはわからないが、本体の報告書の意義を浮上させるにもこれを検討することが重要と見た。いままでの研究書もこの覚書に触れたものは見あたらず、いわば埋もれていた覚書である。

問題の覚書は「モンゴメリー州スランフェア・カエレイニオン（図2-1参照）［等］三教区の非国教徒による、教育の欠乏に関する覚書」として、末尾も末尾、最後にくっつけられている形で収録されている。[1]

この覚書はまず、政府委員の「正確な訪問時間と質問の詳細を知らない」と書いて、政府側の抜き打ち調査を暗に批判している。しかし、「重要なテーマに関する事実を得ようとする貴殿を援助するために」「われわれ有志」が

三〇人が集まったこと、この三〇人の一人一人が直接個々の家、教員、親を訪ねて、情報を収集し、報告書にすることに決定したことを述べた上で、金と時間をかけて、この報告書を作成しようとした理由を以下のように記している。

第一に、真実を隠すのではなく、正しく認識しようと思ったから。第二に、教育の実態調査が強制ではなく、あくまでそれは自発的になされるものであるから。第三に、政府側の必要な情報を得るのに、この教区のジェントルマンが特定されていないために、自分たちが教育関係のもっとも重要な情報を提供しようと思ったから。第四に、単に日曜学校、平日学校を訪ねるだけでは、ウェールズにおける教育の真の状況の認識はけっしてできないと、信じるから。現在の人口、家族数、ウェールズ語しか話せない人数、英語しか話せない人数、両方を話せる人数、読み書きのできる人数、平日学校と日曜学校に通う人数と通えない人数、を知ることが必要だからである。

第四の統計の調査委員たちの取り方については、さらに以下のように批判している。日曜学校には常勤の事務員がおらず、生徒の数を把握していない。政府側委員は直接訪問しても、病気や悪天候で三分の一から二分の一の生徒が欠席している場合もある。日曜日ごとに弟や妹の面倒を見たり、家畜の世話をする番になっている生徒もいる。にもかかわらず、彼らは学校が好きだし、できるだけ出席しようとしているので、彼らも日曜学校の生徒の数に入れるべきである。これらに鑑みると、特定の日曜日における出席者を数えたり、そのときたまたま出席していた生徒を、その学校の生徒の平均出席者数と見なしたり、ひいては生徒全体の数を考えるのは不公平である。これではウェールズの教育の真の状況を示すことにはならない。このように、その日限りの抜き打ち調査を批判している。

（2）読み書きできるウェールズ人

彼らが自ら調査し作成した当地域の統計は以下のようになっている。家族数四九一、人口二五四四人、民族（ウエールズ人が二四九〇人、イングランド人が五四人）、言語（ウェールズ語のみが一〇六九人、英語のみが七六人、ウェールズ語と英語の両方が一三九九人）、読み（読めるが一七〇六人、読めないが八三八人）、書き（書けるが八七三人、書けないが一六七一人）、算数（できるが五一八人、できないが二〇二六人）、文法（できるが一六五人、できないが二三七九人）、地理（できるが八六人、できないが二四五八人）、唱歌（できるが五六七人、できないが一九七七人）、子供の数が九四八人、平日学校に通う子供は一四八人、平日学校に通わない子供が八〇〇人、日曜学校の生徒は一六八三人、どの日曜学校にも通わない者は八六一人、非国教教会各派に所属するキリスト教会の通常会員は四七三人、その祈祷所に出席しない人の数は二〇九人、非国教徒の祈祷所に出席する人の数は二一六二人、国教会教会に出席する人の数は七三人(2)。

政府側の調査事項にはない「民族」と「言語」があり、読み書きの基準も先に見たものとは異なり、できるか、できないかに単純化され、読み書き能力も政府側の数字をはるかに上回っている。これには英語だけに限らず、ウェールズ語も入っているからである。しかも「読み」には注釈が付いており、「読めない者の中には、日曜学校に行っていない五〇歳以上の大人、綴りができてアルファベットが言える五歳以下の幼児や子供も含まれる。これは重要である」、しかも、「聖書を読めるものは一七〇〇人以上いる」。先に見た北ウェールズの政府側の統計では「聖書の一節も読めない者」は七三・五％もあった。この独自調査では聖書を読める者が六七％もいる。これには明らかにウェールズ語で聖書を読める人々を含んでいる。

平日学校についても以下のように記述している。「平日学校は、五校全部合わせても一四八人しか行っていない。これは、世俗教育の状態がこの教区ではきわめて低いこと、将来の世代のために教区内に、われわれがもう二校か四校のリベラルなブリティシュ・スクール（第二章で見た非国教会系列の「ブリテン学校」）を建てるべき時期に来ていることを示している。大多数の労働者その他はあまりに貧しすぎて、授業料と教科書が無料でも、子供に服を着せて学校に送ることができない。やむを得ずに子供を早い年齢、あるものは一〇歳以下、多くのものは一二歳以下から奉公に出している。農民の多くも、使用人に払う賃金を節約し、地代、一〇分の一税や他の税金を払うために、一二歳以上の子供は農場に出して働かせざるを得ない」。

（3）両親の言語を知る権利

この独自な報告書は、言語についても、次のように報告している。「ウェールズ人（Welsh nation）の中には、子供と幼年時から英語で話しているものがいる。その結果、母語であるウェールズ語を話せなくなっているウェールズ人の子供が沢山いる。われわれはこれをきわめて悪い慣習と考える。なぜなら、その子供は（英語とウェールズ語の）どちらの言語でも適切に話せなくなるし、ウェールズ語で教えている日曜学校の恩恵を受けいれなくなるからである。すべての子供はその両親の言語を知る権利がある。彼らからウェールズ語を奪うのは、われわれの民族、言語、郷土への侮辱である。われわれはこの慣習を大いに憎悪するものであるが、イングランドとの境界にある地域では一般的に見られるようになっている」。

この報告書は、一二〇〇頁以上の大部の報告書のうちでは、わずか二二頁ほどの小さな異分子にすぎないが、政府側の調査を、訪問時間や調査事項を事前に知らせない抜き打ち調査であり、学校しか訪ねず、家、教員、親から情報を取らない方法であり、欠席の理由を考慮せずにその日限りの出席者の実数を出してしまう方法であり、民族や言語などの調査事項が欠落しており、ウェールズ語を読み書き能力からはずすやり方であることを陰に陽にするどく批判している。教育調査は強制ではなくあくまで自発的になされるべき、と主張し、実践している。

とくに「この教区のジェントルマンを特定しない」とは、「われわれ非国教徒」をインフォーマントとして指定しない方法を批判したもので、「われわれ非国教徒」を情報源にせよ、そうすればこのような報告書になる、との非国教徒の訴えでもある。政府側のインフォーマントは英語を話す国教徒であり、ウェールズ語を話す非国教徒ではなかった。ウェールズ語を話す助手がいたものの、イングランド人の調査委員はウェールズ語は一語も知らなかったために、ウェールズ貧民の生活に直接接触すること、彼らの慣習や伝統を理解することからは締め出されていた。調査委員はこの分野での情報を得るために、英語を話す人々に依存しなければならなかった。そのインフォーマントは自然に気脈が通じる同じ階級に属し、彼らに証言した英語を話す人々であった。かくして、調査委員たちは、こういったイングランド化したウェールズ社会——土地所有ジェントリ、指導的な都市住民、国教会聖職者といった町や村の貧民大衆とはイングランドよりも大きな格差で隔てられた人々——に影響されていた。(3)

この報告書をもっと特異なものとしているのは、英語で子供と話しているウェールズ人の親＝同胞への批判があるからである。この「反英語」の姿勢は、私が見つけたかぎり、唯一の箇所である。他に、ある国教会聖職者は「この言語（ウェールズ語）を根絶やしにするのはかなり危険であろう。英語は一言も話してはならないとの規則がある慈善協会に見られるように、貧民の間にはこれをひいきする強い感情が残存しているからである(4)」と証言したが、これは貧民自身の発言ではなく、伝聞証言にとどまる。また「自分たちの言語への（英語の）侵略にはとうてい耐えられない」と言う「ウェールズ人の両親」への言及も見られるが、その直後に「平日学校では英語だけ教えてくれと主張し、ウェールズ語を学ぶ時間はすべて無駄だと考える貧困層のことをまったく知らない議論である」とすぐ打ち消されている。(5) 直接的な「反英語」発言はきわめてまれである。

親はいかに考えていたのか、は言語の問題を考える場合、重要である。全般にウェールズ人の親たちは「英語を少し話せれば子供は世間を渡っていける。でも英語を一語も話せないとそんなことはできない」と認識していたために、平日学校はおろか日曜学校でも、さらにはも家でもウェールズ語を勉強するのに反対していた、というのが報告者たちの見解であり、多くの証言を拾っている。(6)

説明の言語としてもウェールズ語を使うべきではないというウェールズ人の親がいて「平日学校では子供には英

語だけで教えて欲しい。ウェールズ語で教えてもらっても何かよいことがあろうか。ウェールズ語ならすでに知っている」と彼らは述べている。[7]調査委員のまとめでは「もっとも純粋なウェールズ語地域でも、階級はどうあれ、学校で子供が英語を学ばせない親は一人として見いだせない」となっている。[8]「英語は州の境界から広がり、町にあふれており、全般に親、特に農民の親が英語は子供の出世に必要不可欠な言葉と認識して、しだいにこの言語の知識を子供に与えようとしている」との国教会牧師の証言もある。[9]

ウェールズ語を忌避する親が多くいる一方で、ウェールズ語にこだわる少数の親もいる、統計的にこのいずれが多かったのか、その比率などは分からないが、報告書はウェールズ語を学校で教えることに反対する親の発言を圧倒的に多く拾っている。

2　ウェールズからの反発

(1) 国教徒からも反発

スランフェア・カエレイオンからの反発は四七年報告書に中に掲載されたいわば獅子身中の虫だったが、この報告書が公刊されて以後の外部からの反応はどうだったろうか。報告書を受けとめたウェールズの人々からは、これに対する多くのかつ大きな反応があった。

報告書の結論の重要な一つである、英語の知識はウェールズの子供たちには初等教育以後の教育を受けたり雇用してもらう上でウェールズ語よりも役に立つこと、これは多くのウェールズの人々も認めざるを得なかった。この点は、調査委員に同意したので議論の余地なく彼らに受け入れられた。ウェールズの学校と教員は、英語の知識の増進という目的には不十分にとどまっていたし、ウェールズ人は、このことを調査委員以上に知っていた。だからこそ、彼らは、報告書以前のヒュー・オーウェンの学校創設のイニシアティヴに熱烈に反応したし（第一章）、ウェールズにおける教育施設の改善に政府が措置を講じてくれると期待して、調査に協力を惜しまなかった。

ウェールズ人が望まなかったもの、あるいは、この報告書に後で付けられたあだ名（青書の裏切り）が示すような、自分たちは裏切られたとの感情を生起させたのは、報告書が教育の欠点を、非国教会、ウェールズ語、ウェールズ人の性格に、あたかも因果関係があるかのように、結びつけた点であった。貧困な教育環境については耳にも入れよう、しかし、酔っぱらいとか、汚いとか、性的にみだらで、嘘つきで詐欺師とまでいわれることは、想定していなかったし期待もしていなかった。

報告書の公刊直後からウェールズ側からの反論がなされた。その中にはすでに触れているルイス・エドワーズの助手ジェームズ批判があるし（第二章）、一八四九年には反論者の一人から「イングランドのロンドンおよび地方の新聞の記事を書く編集者、通信員、ウェールズのすべての新聞や定期刊行物、本、パンフレット、集会、演説会、講演会、詩人、芸術家、ホイッグ、トーリー、保守派、急進派、チャーティスト、ウェールズ人、イングランド人、国教徒、非国教徒、カトリック、プロテスタント」と、要するに報告書は「ウェールズ内外のあらゆる信仰、地位のひとびとに攻撃された」[10]と書かれたように、反論は広範にわたった。もちろん、これは反論者からの誇張された言い方であるし、網羅的に並べるだけでは反論の根拠をわかりにくくしてしまうので、ここでは国教徒と非国教徒の垣根を越えて反論したという点に着目して、これらのうち、初期でもっとも長い反論を書いた国教徒と非国教徒の二人の印刷物を見てみよう。

一人は、国教会聖職者のジェーン・ウィリアムズのパンフレット[11]である。ウィリアムズは、まず、調査委員が、ウェールズ語とその他の知識に欠け、イングランドや他の国との比較もしないままウェールズの慣習、行動を非難したと、調査委員としての資質が欠如していたと指摘した。次いで彼らに情報を提供したウェールズのインフォーマントたちの不適切性や不適格性（居住期間が短かく，正直さに欠け，さらには直接間接の利害関係を持っていたなど）を「悪意のある，経験が浅く，無知で，偏見のために無能である」として，具体例を次々と列挙して，彼らの証言を採用して総括報告を書いた調査委員を批判している。

ウェールズ人の性質については，その長所や肯定的評価の証言が付録や学校訪問記録にも多く存在するにもかかわらず，調査委員による総括報告には無視され採用されなかった事例を挙げている。要するに，この報告書は，事実に基づかない類推や都合のよい事例からのみから構築された恣意的な報告だった。酒飲み，犯罪，（性的モラルの失墜から発生するとされた）庶子，迷信もイングランドにもあるし，イングランドの方が多いデータもある。教育手段の欠落はイングランドの平日学校の報告書でも指摘されている。

もっとも重要な言語問題でも，三人の調査委員はウェールズ語に対してきわめて否定的で，報告書を通じて，ウェールズの多重的な悪い結果はウェールズ語のためであるとしている。スランフェアの叛乱の報告書にみられた，教授言語としてのウェールズ語の「実験」は認めようとしないし，報告書にも掲載されている，エヴァンズ師の言葉「彼らが英語を学び，しかし，自分たちの言葉を忘れないようにすることは有益と考えます[12]」はこの問題に関するウェールズ人の言いたいことを要約している（つまり，英語は学ぶがウェールズ語も忘れないようにしたいということ）にもかかわらず，調査委員は一顧だにしなかった[13]。

（2）ウェールズ人は不潔でも非道徳的でもない

もう一人，今度は非国教徒からも批判が出た。非国教会派の独立派牧師で教員だったエヴァン・ジョーンズは，トレデガールでサイモンズのガイドをした。サイモンズは「何度となく，きれいできちんとした家には行きたくない。町の中でもっとも乱れて最悪の場所に連れて行って欲しい」とジョーンズに宣言したとの証言をした。しかも，現実は彼の期待よりも汚くはなかったために、そこで発見したことを、さらに誇張して書いたとジョーンズは指摘している。

ジョーンズも、調査委員と助手の不適格性、証言者の利害関係などから発生する不適切性や証言者の国教徒聖職者への極端な偏りを数字を示して詳細に指摘している。男性の飲酒、女性のふしだらの両方とも報告書に掲載された証言だけでは支持されない。人々の一般的道徳性に関しては、三分の二以上は好意的証言だったのであり、これは調査委員の結論に反する。庶子もイングランドと比較して多いとか、衛生状態がイングランドより悪いとの説も成立しない。これらに関して、否定的評価や悪意のある証言をした証言者たちは、居住期間が短かったり、ウェールズ語には無知だったり、ウェールズ地域の教育、道徳の状況に関する意見を言う資格がない者たちだった。

ジョーンズは、報告書の勧告を履行するための立法を要求する公開書簡を首相に送ろうとしていたウィリアム・ウィリアムズ（第一章にすでに登場した、ウェールズの教育調査を議会で促した人物で四九年時点ではもはや議員ではなかったが）に対抗して、報告書は信用がおけないので、政府は、これを信頼し、ウェールズ関連の法案を通したりしてはならないとも述べた。

ジョーンズは、政府の教育干渉を排除するウェールズ自己教育論者である。教員の不適格性、教室の不快さも認めよう、しかし、これはイングランドの学校に関する議会報告書からも立証できることで、ウェールズに関する立法措置を取る理由はない。ウェールズの教育の欠陥が確認済みであろうと未確認であろうと、教育に政府の干渉を招いてはならない。ウェールズ人は自己教育を決意している。ウェールズ人は貧困ではあるが自己教育が可能である。両親が義務を果たすところでは、あらゆる困難も消滅する。貴族の援助、寄付金、政府からの援助を受ける国教会は五八一校の学校を提供しているが、ウェールズはほとんど援助金のない貧民の努力で九四九校の学校を設立し、現存する私立学校の数（六八一校）の多さは自分の主張を証明する、と述べている。(14)

ジェーン・ウィリアムズとエヴァン・ジョーンズは、宗派が国教会と非国教会とに分かれ、政府の干渉への言及の有無、自己教育論といった相違があるものの、調査委員、助手、証言者への批判や道徳性や性的モラルをめぐるウェールズ人の性質についての無根拠性を指摘する点では共通している。

不潔や非道徳性は非国教徒との関連も示唆する叙述もあったことから、ウェールズからの反発は非国教徒からのものに限定されるとも予想されたが、実際は、すでに見たようにジェーン・ウィリアムズのような国教徒からも寄せられた。他に報告書に異議を唱えた国教会牧師には、バンゴール参事会長J・H・コットン（Cotton）がおり、彼も報告書のウェールズ人の教員と生徒に対する敵対性、子供への傲慢な調査姿勢に公然と怒りを表明した。もう一人の大物、法廷弁護士でニューポート蜂起の時に当地の市長も務めた、サー・トマス・フィリップス（Sir Thomas Phillips）もウェールズ人の観点から報告書を攻撃した。ウェールズ人が社会のトップにいないとか、英語の無知が成功の妨げになっているというのは真実ではないと主張し、生活状況、庶子のデータに関して、ジェーン・ウィリアムズと同様、調査委員が使った統計の権威を突き崩すもう一つの統計を持ち出して反論した[15]。

ウェールズ語を話す非国教徒からもっとも強力な抗議がわいたのは当然だったが、英語を話し国教徒でもあるイングランド化を遂げたウェールズの上流層でも、報告書には彼らの腹に据えかねる箇所があった。それはウェールズ人の不道徳性、とくに女性の性的モラルが指摘されている箇所だった。上層部のウェールズ人もしょせんウェールズ人であり、彼らの女性が異常な「不道徳性」を持つと書かれて、世間にウェールズがさらしものになっていると感じて、深く傷ついた。かくして英語を話す国教徒のウェールズ人も巻き込んで、ウェールズ人の感情は一体となりかける場面を作りだした。これが一八四七年の報告書がウェールズ史の重要な事件であったことの理由である。

（3）『青書の裏切り』

文書による批判だけではなかった。ヒュー・ヒューズは人々の視覚に訴える石版画を作成して、批判した。[16] その一枚は、片足がロバの足になって、頭には石炭バケツをかぶった枢密院教育委員会永代事務長ケイ＝シャトルワースが、三人のこれまたロバの耳をした三人の調査委員に指示を下している画である。彼らの調査方法を、ロバのようなまぬけな方法である、と示唆して戯画化する意図が見える（図4-1）。

もう一枚はウェールズの地図を形取った「ウェールズ婆」が三人の調査委員を次々と海に放り込んでいる画である。調査委員たちは、頭から離れ落ちる、かつら（法曹者のシンボル）を気にしつつ海に沈んでいる。「ウェールズ婆」がしっかりかぶっている帽子に注目しよう。これはウェールズの「伝統の創造」として作られた衣装の一つであるビーヴァー帽である。ただし、高さは通常のビーヴァー帽ほどない。これは、いわば「民族衣装」をまとった女性をウェールズのアイコンとして表す表現が、一九世紀半ばのこの時期に、四七年の報告書を一つの契機にして、ウェールズ人自身の「民族意識」の表明のために利用されていることを示してはいないか（図4-2）。

現にヒュー・ヒューズ（一七九〇―一八六三年）はメソジストの農家の生まれで、非国教徒で、ウェールズが生んだ最初の「ナショナル」な画家と言われる。「民族衣装」をまとった女性を描いた彼の作品は石版画のみならず、油絵にもあった。それどころか、ウェールズの風景、ウェールズの非国教徒の肖像画を多く手がけながら、自身のウェールズ人としてのアイデンティティを作品に表現した画家であった。[17]

一八五〇年代に入ると五四年に、ロバート・ジョーンズの戯曲『青書の裏切り』(Robert Jones (Derfel), *Brad y Llyfrau Gleision*（*The Treachery of the Blue Books*））が出版される。表紙が青い政府報告書は「青書」と呼ばれていた。これは、ウェールズの純粋性を台無しにしようとする悪魔を登場させ、くだらない質問をしてウェールズの言語、宗教、女性を侮蔑するために、この国に調査委員を送って、得られた回答をわざと間違えて伝えるという、報告書を戯画化した内容だった。調査委員たちはロバから格上げとなり、リンゲンはベリアル・カレッジ（リンゲンが実際に勤めていたオックスフォードのベイリオル・カレッジのもじり）のフェロー、ハマン（ペルシアの宰相でユダヤ人の敵）となり、サイモンズは魔術師シモン、ジョンソンはイスカリオテのユダになぞらえられた[18]。

この『青書の裏切り』の物語は、六世紀のサクソン王の物語（休戦協定を祝う宴にブリトン人（ウェールズ人の祖先）を招待したが、長いナイフを隠し持っていたサクソン王の部下が丸腰になったブリトン人を虐殺した）である「長いナイフの裏切り」を下敷きにしていた。これは狡猾なサクソン人の裏切りを語るものとして、ウェールズ史の史実としてよく知られ

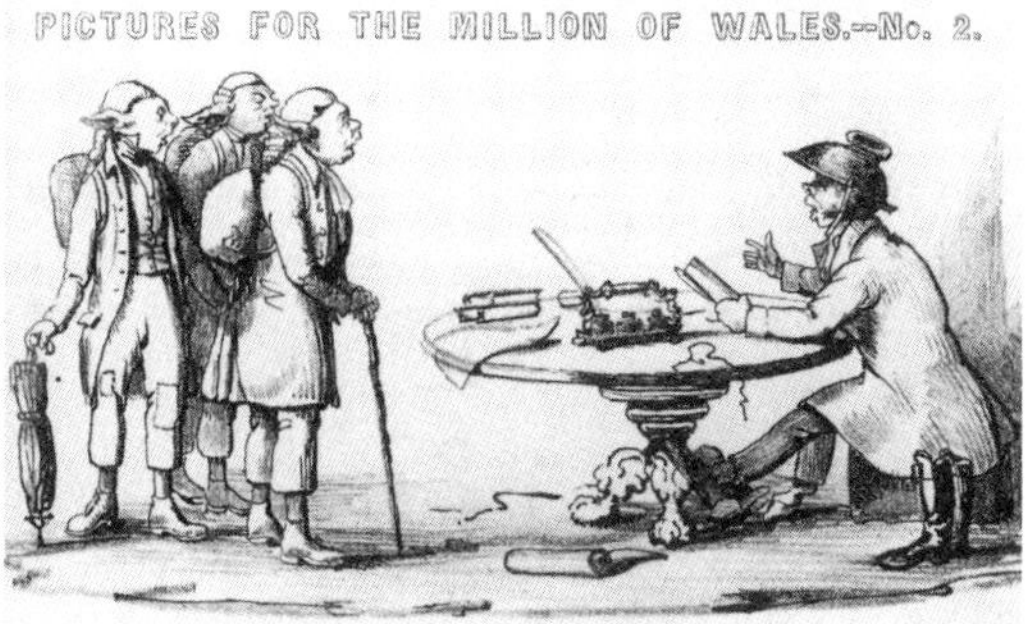

図4-1　調査委員に指示を出すケイ＝シャトルワース

図4-2　調査委員を海に投げ入れるウェールズ婆

ていたので、これを下敷きにしたことは効果があったと思われる。[19]

また、この戯曲のタイトル『青書の裏切り』は四七年報告書のニックネームとしてよく知られるものとなった。ウェールズを裏切ったのは、イングランドではなく、当のウェールズにいた内部の裏切り者、内なる敵だった。中でも同胞を中傷したウェールズ人助手と情報を流した国教会の牧師たちであったとの意識も明確となった。ヒューズの石版画といい、ダーフェルの戯曲といい、それがどれだけの部数がウェールズに流布したか、何度上演されて人々の知るところとなったかは、いまのところ不明だが、活字と同等かそれ以上の影響力があったことは想像に難くない。ルイス・エドワーズ、エヴァン・ジョーンズ、画家ヒューズ、戯作家ダーフェルなど非国教徒たちは、報告書はウェールズの教育水準を攻撃したばかりか、ウェールズのアイデンティティ（ウェールズとウェールズ人であることを示すあらゆるもの、とりわけ宗教と言語）も攻撃したと見た。

非国教徒の諸宗派もそれぞれの相違があったことは紛れもないが、この攻撃に対する彼らの反発によって、諸宗派は「共通の敵」に対してはまとまろうとしたし、ウェールズ語がウェールズの社会的結合性（とその結果としての社会の存続）において果たした重要な役割を深く理解できた。こういった非国教徒の反応からは非国教徒の人々が唯一の真のウェールズ人で、ウェールズらしさは非国教徒と同義との考えが見られる。[20] 一八五六年に作曲され、以後しだいにウェールズ国歌として歌われることになった歌の歌詞には、「いにしえの言葉は存続しますように」との一節があった。このように宗教と言語からウェールズ人のアイデンティティが確認された。

（4）一八六〇年代の「山里のコテージ」

報告書から二〇年経過した一八六〇年代に入っても、ヘンリー・リチャードという著述家は、四七年報告書に対するこれまでの反論のテーマ、ウェールズ人の性的モラルや不道徳性、非国教会の悪い影響力、ウェールズ人の教育への無関心について反駁を継続していた。これはウェールズ側からの反論がイングランドの権力者には馬耳東風であり続けたことを示す。ヘンリー・リチャードにとって、四七年報告書は権力を持たない人々、（適切な言語＝英語を操る能力がないためか、その発言が考慮に値しないと判断されたがために）やいまだに発言権がないままの人々に対する権力を持つ人々による判断の代表的な事例だった。彼は一八六八年に以下のような演説を試みた。

この言語（ウェールズ語）を話し、この文学を読み、この歴史を持ち、この伝統を相続し、この名前をいとおしく思い、驚くべき制度を作り支え動かしてきた人々、ウェールズの人々の四分の三を構成する人々。彼らに「われわれはウェールズ国民（Welsh nation）だ」という権利はないのでしょうか。あの財産所有階級に対して、静かに敬意を表して、しかし熱意と力を込めて、「われわれはウェールズ国民だ」と言う権利はないものでしょうか。この国（country）はわれわれのものであり、あなたがたのものではない、したがって私たちは私たちの原理、感情、情感を庶民院に代弁させる権利を持つのです[21]。

四七年報告書が提起したもっとも重要な問題の一つは、ウェールズ国民とは誰か、それはどのような人々で構成されているかであった。この問題に対して、彼の演説は、ウェールズ国民とは共通の言語、文学、歴史、伝統、制度である、と規定するとともに、ウェールズ国民とは報告書が出た時期には耳を傾けられなかった人々で、二〇年経過してもいまだに権力側が耳を傾けようとはしない発言権を持たない人々であると、答えるものだった。また、財産所有階級を回避するのではなく、彼らに対して「静かに敬意を表して」、ウェールズ人の意見の代弁者を議会に送る権利を主張する。このような彼の穏健な議会主義は、その前提となる、一九世紀を通じた多くの著述家によって表明された以下のようなウェールズ人の気質と結びついていく。ウェールズは他の地域とは異なり、忠実でおとなしい。すなわち、ウェールズはイングランド、スコットランド、アイルランドのように暴動や騒擾があっても、政府には忠誠なままである。ウェールズ人はイングランド人よりも王室に忠誠である。

ヘンリー・リチャードの見解はこれらと共通した側面を持つ。しかも、これは、その後数世代にわたる著者たちのウェールズの道徳性の高さ、犯罪のなさを強調する傾向と結びついていく。四七年報告書による批判の間違いを自らとイングランドに徹底的に立証しようとした。純粋なウェールズ、平和なウェールズ、裁くべき犯罪のないウェールズである。山里のコテージで慎ましやかな生活を送りながらも、教養があふれ信仰深いウェールズ農民、言い換えれば、「コテージの天才」が四七年報告書以後のウェールズの民族意識の高揚のため、創成されたことも、こういった動きに関連しよう。[22]

3　イングランドの反応

(1)　リンゲン、後継者となる

ブリテン政府は四七年報告書に対するウェールズからの怒りへの対応の必要性に駆り立てられた（図4-3）。枢密院教育委員会委員長グレイ卿は、イングランド国教会、法と秩序に関わりが深い、ウェールズの著名人物である、コノップ・サールウォール（Connop Thirlwall, 1797-1875）とショート（Short）の両主教、サー・トマス・フィリップスからなる代表団との会見を受け入れ、彼らの『ウェールズにおける教育を改善し拡大する」措置の公的な要請を聞いた。

国民協会のウェールズ教育委員会は、ウェールズの学校が（先の調査委員とは異なる新たな）「視学官」の指導がないばかりか、「視学官」の勧告による教科書、設備への補助金もないと判断し、ついては、ウェールズの学校の特殊な問題を理解でき、ウェールズ語で教員や生徒と意思疎通できる「視学官」の任命を要請した。枢密院教育委員会

LORD JOHN RUSSELL AND THE PRIVY COUNCIL.

図4-3　枢密院で報告するジョン・ラッセル卿

永代事務長ケイ＝シャトルワースは、ウェールズからの抗議はあまりに強行で迅速だったために、本腰を入れて取り組むべき必要のある問題と認識した。そして、この要請を受けて、一八四八年六月にケイ＝シャトルワース署名の書簡で、ウェールズ人でウェールズ語を知る「視学官」の任命（およびウェールズにおける教員養成）に対する政府援助に同意する。

ケイ＝シャトルワースは、この方策こそ政府のダメージを制限し、目下の状況を回復させる唯一の機会と決意した。しかし、調査のやり直しは四七年報告書の失敗をあまりにはっきりと認めることになりかねない。そこでウェールズ全域を担当する最初の「視学官」がケイ＝シャトルワースにより任命された。ハリー・ロングヴィル・ジョーンズ師がその「視学官」であり、その視察は国教会のチャーチ・スクールに限定された。

ケイ＝シャトルワースは迅速な結果を出すことを望んだので、ジョーンズは一九〇のウェールズの学校を一年もたたないうちに視察し、報告書を執筆した。これが四七年報告書とは異なる点は、教員を有能と評するなどの高い評価、バイリンガル教育を子供がウェールズ語（家庭と宗教の言語）と英語（世俗の知識と物質的な進展の言語）の両方の健全な知識の獲得を奨励することになる長所と見なすなどの、ウェールズ語の使用と地位に関する評価であり、共通する点は、教室、教科書、設備、助教制度への評価であった。ただし、これらは劣った教育方法の証拠としてではなく、あくまで直すべき必要のある欠陥の事例として挙げた。

このジョーンズ報告書はケイ＝シャトルワースの期待に添うものだったし、その勧告が履行されれば、一九世紀ウェールズ教育史はもっと異なるものになったはずであった。しかし、前年の過労とストレスから引き起こされた健康の悪化でケイ＝シャトルワースは一八四九年に事務局長を辞任した。その後任が誰あろうかつての調査委員リンゲンであった。リンゲンにしてみれば、自分とは異なる見解を持つ人物であるジョーンズが視学官として採用されて、自分が担当した同じ地域の調査を繰り返した経過自体が、極度な敵意を抱かせるのに十分だった。ジョーンズは、六四年まで視学官のポストにあったが、ロンドンに報告書を送って保管はされたものの実行はされなかった。報告書がいつまでも店ざらしになっても、ジョーンズがリンゲンに無視される理由を聞くものなら深い敵対感を呼び起こしかねなかった。ジョーンズは六四年に過労とストレスで辞任する。一方、リンゲンはこの後の七〇年には大蔵省事務次官まで出世する。[23]

(2) 一八八〇年代

言語問題はイングランド側からはどうなったか。ケイ＝シャトルワースは、四九年の辞任前にウェールズの学校教員がウェールズ語での教育を提供する必要性を受け入れていたが、リンゲンの任命が示唆するように、次の数十年は教育におけるウェールズ語を推し進める大義はなかった。

ウェールズ語は、ロングヴィル・ジョーンズの見方からすれば、教育の手段となりうると言えたが、平日学校の補助金獲得を左右する学校報告書を書いた視学官の多くは、ウェールズ語は単に取り除くべき問題と見なした。

六三年の学校補助金行政規則の修正条項では、教員の給与は、生徒の試験の成績次第で、その試験はすべて英語でなされるとした。これには幾人かの視学官が賛成し、イングランドと同様の試験が用いられたが、口述試験でウェールズ語のアクセント（訛り）を許容する視学官もいた。

七〇年の教育法では、イングランドとウェールズの全域に義務教育、無料教育、英語教育での初等教育を提供する教育委員会が設置された。ウェールズのウェールズ語の存続にとっては最終的な打撃だった。しかし、これは、初等教育の拡大を促したばかりか、ウェールズ語を話す生徒が英語を話す生徒と同様な扱いを受けるべきと主張してもいたために、多くの視学官は「前進」と見なした。

七五年には、六三年の修正条項（試験はすべて英語）への譲歩があり、ウェールズ語地域では英語の意味をウェールズ語で説明する英語試験が認められたが、ウェールズ語を話す視学官には「ウェールズ語の不使用こそウェールズの利益となる」と言って、反対を表明した者がいた。

八五年にはロンドンのカムロドリオン協会（ウェールズ出身者の団体）がウェールズ語を初等学校の上位クラスに特別選択科目として導入の望ましさについて、すべての公立の初等学校の校長宛にアンケートを送った。多くの回答は肯定的だったものの「ウェールズ語はロンドンではいいが、こちらではもっと英語が必要だ」と、ウェールズ語への敵対心を表明した回答もあった。こういった反応や前記のウェールズ語を話す視学官の反対は、ウェールズ語にとっては、またしても内側からの裏切りだった。

八〇年代はヒュー・オーウェンによる、ウェールズの中等教育の調査（証言者の多くはウェールズ語の知識は中等教育には不利な条件と見なした）があり、それは八九年のウェールズ中等教育法に結実した。オックスフォードでケルト文学講義がなされるなど大学での学門的研究（これはおそらくイングランド中流階級の教養のためだった）もなされるようになった。ただ、中等学校、学門的研究でのウェールズ語の位置は、経済的理由のため中等教育を受けられなかった労働者階級には無関係で、彼らには何の結果ももたらさなかった。中等教育を受けられた者にとっても、初等学校で何年か英語が詰め込まれた後では、ウェールズ語と英語の相対性に対する考え方、すなわち、優位の英語、劣位のウェールズ語という優劣が決定的に形成されていた[24]。

ただ、初等教育で英語を詰め込まれても、英語が優位、ウェールズ語が劣位にあるとは考えず、ウェールズ人としての自身のアイデンティティを持ち続けた労働者の人々もいた。四七年報告書の後にウェールズを酷評した社会、経済、政治、文化の領域にわたる様々な勢力を考えると、こういったアイデンティティの残存は注目に値するし、正当に認識されるべきである。

4　拮抗するナショナリズムと英語帝国主義

四七年報告書に対するその後のウェールズとイングランドの対応を検討すると、ウェールズ側からはナショナリズム、イングランド側からは英語帝国主義といったものが浮かび上がる。以下では、ナショナリズムと英語帝国主義の拮抗を軸に、この報告書を総括してみよう。

(1) ナショナリズム、ウェールズのドロヘダ

四七年報告書の重要性は、多くの歴史家や著述家に認められている。その主たる歴史家や論者たちは、報告書が一九世紀のウェールズ・ネーションの形成に果たしたきわめて深い影響力を指摘し、アイルランド人、スコットランド人よりもおとなしいといわれ続けたウェールズ人に民族意識をより深く自覚させた点を強調する。

論者の一人は、四七年報告書はウェールズ・ナショナリズム、とくに非国教徒とウェールズ語使用者のナショナリズムを刺激して、誕生させた、と評した[25]。また一人は、報告書はウェールズの指導層に反発を作り出し、この反

発によってナショナル・アイデンティティの高揚感が生みだされるのに貢献した点で、報告書は一九世紀ナショナリズムにとって重要である、と述べる[26]。

中でもケネス・モーガンは、この報告書、すなわち『青書の裏切り』は「ウェールズのドロヘダとして民衆の記憶に残り続けている」と書いて、悪名高いクロムウェルのドロヘダ虐殺がアイルランドの後の世代に果たした役割と同様の役割をウェールズの歴史的想像力の中で果たした、と指摘している[27]。

アイルランドの首都ダブリンから電車で一時間ほどのドロヘダを、筆者が訪問した折に、クロムウェルがカトリック教徒を集めて焼き殺したという教会を訪ねてみたが、教会の説明文はもちろん、案内所からもらった町のパンフレットにもクロムウェルの名前はいっさいなかった。ここはクロムウェルにもっとも関わりながら同時に徹底的にその痕跡を抹消した町だと思ったことがある。一方、四七年報告書は、ウェールズとイングランドの長く困難な関係の歴史における画期的な議会文書としての公的な地位を保持したままであり、ウェールズ人にとって払拭しきれない傷跡を残したが抹消されたわけではない。

四七年報告書は、ウェールズ性（ウェールズらしさ、Welshness）について何か新たなイメージを作りだしたというより、すでに構築されていた否定的なイメージを繰り返しただけだが、それを深めて鋭利にして、さらに幾世代にもわたり残存させた。ウェールズ人もただ座視して言われるがままだったわけではない。イングランド側が示した敵対性や侮蔑感に対して、ウェールズ人は反発し、自分たちのウェールズ・アイデンティティを担う言語を引き続き存続させるべきであると決意を固めた。

しかしながら、他の多くのウェールズ人は、彼らの共同体や言語についてのメッセージが伝えられたときに、少なくともあるレベルでは、受け入れた。彼らにとってそれは一九五〇年代のケニヤにおける経験を書いているグギ・ワ・ジオンゴの言葉で言う「文化の爆弾」だった。ジオンゴによると「文化の爆弾」とは、自分たちの共同体のアイデンティティを構成するもの、とりわけ言語が、劣等、後進、野蛮であり、恥辱と罪の対象として棄却されるべきだと、当局者が権力を行使して告げて、いわばこの爆弾で爆破し続けて、彼らを屈従させることである。(28)

報告書にあった非難があまりにも強かったために、いっさいの妥協点は許されないかのように見えた。拒否すべきか、受け入れるべきか、見解は両極化され、その結果、これを読まなかったもの、それが書かれたときに生まれていなかったものもいずれかの立場に立つか選択を迫った。いずれを選択するにせよ、報告書は無視できなかった。こういった経過があるために、報告書はウェールズ史における決定的な事件として残り、抹消されなかった。

(2) ウェールズ語話者の数的変遷

四七年報告書以後のウェールズ語話者の数字を確認していくと、サー・トマス・フィリップスは一八四一年のウェールズの人口一〇四万六〇七三人のうち、六六%の人々がウェールズ語を話していたと算出していたが、一八九一年のセンサスでは人口一六六万九七〇五人のうち、ウェールズ語を話すものはそのうち五四・五%となり、この間で、人口は五〇%増大したが、ウェールズ語話者は二〇%減少した。

しかしながら、一九世紀の最後の二〇年間(一八八〇年代、一八九〇年代)ではウェールズ語に対する態度に眼に見える変化が起きる。一八八五年には、教育におけるウェールズ語使用協会が設立され、英語教育支援として学校におけるウェールズ語の使用の運動をした。この協会の活動と並行して、学問分野としてのウェールズ語研究への関心が復活した。政治運動も開始され、ロイド＝ジョージなど有力なウェールズ人議員の選出が焦点となった。

ただこれらも中流階級のイニシアチブからなされた動きであり、中流階級はウェールズ語への態度における改善を代表したが、ウェールズ人労働者にとって、英語は物質的進展、社会的流動性を保証するもので、ウェールズ語は無知、貧困、社会的劣等性の言語と見なされ続けた。ウェールズ語しか話さない話者(モノグロット)は、一八九一年で三〇・四%だったが（英語とのバイリンガルを含めたウェールズ語話者は五四・四%）、一九〇一年で一五・一%（英語とのバイリンガルを含めたウェールズ語話者は四九・九%）と急速に減少していった。一九一一年になると人口の八・七%（英語とのバイリンガルを含めたウェールズ語話者は四四・六%）となり、話者人口では九七万七〇〇〇人と最大となるが、英語しか話せない人々の割合も五五・二%となり、ウェールズ語話者の割合を凌いでしまう。(29) バイリンガルを含むウェールズ語話者は以後減少を続け、一九五一年には、七一万五〇〇〇人で二九%、一九八一年には、五〇万四〇〇〇人で一九%まで減ってしまう。

このように二〇世紀は英語の普及によって、ウェールズ語の著しい衰退を経験したが、ウェールズ語の生き残り策の方も様々な試みがなされた。第二次世界大戦中の一九四二年には裁判法が改正されて、法廷でウェールズ語の使用が可能になった。一五三六年の連合法の言語条項以来、およそ四〇〇年ぶりの復権である。一九三九年にウェールズ語で教える小学校が開校していたが、戦後になると、五六年にバイリンガルの最初の中学も開校する。これらを推進する教育運動組織も結成された。法廷ばかりか学校でもウェールズ語が解放される。

民族主義政党である「カムリー（ウェールズ）党」（一九二五年結成）から最初の国会議員が六六年に誕生して、六七年の「カムリー言語法」制定につながる。ウェールズ語の回復運動を担うために、六二年に誕生していた「カムリー語協会」の活動は、この法律に強化されて活発化し、七四年のすべての地名のバイリンガル化の実現、八二年のウェールズ語を使用するテレビ局の設立などが実現した。私がはじめてウェールズに行って、これらのバイリンガルの地名表示やテレビを見たのは一九九〇年だった。

一九八一年に五〇万四〇〇〇人いたウェールズ語人口は、九一年の国勢調査では五〇万八一〇〇人と微増し、二〇世紀を通じて一貫していた英語化の流れがこのあたりで止まった。これには学校におけるウェールズ語の自主教育運動の効果があったものと思われる。九三年の新たな「カムリー言語法」によって、英語と同等の地位を回復させるための機関「カムリー語委員会」が設置されて、失地回復を具体的に実現する方策が始まった。一九九九年には労働党政権の分権化政策からカムリー自治議会法が開始され、二〇一一年の「カムリー言語法」により、ウェールズ語はウェールズ内で「公用語」となった。

二〇〇一年の国勢調査ではウェールズ語話者は五七万五六〇〇人で、九一年からの話者人口では少なくとも七万人は増加している。二〇一二年現在では、ほぼ一〇〇%の児童生徒が何らかの形で、ウェールズ語に接している。この意味ではウェールズ語は「最強の言語に対抗する最強の少数言語」である。(30)

(3) ウェールズにおける英語帝国主義

今度は、イングランドからウェールズへの視点を「英語帝国主義」というキーワードからまとめてみよう。さしあたり、ウェールズにおけるイングランドの「英語帝国主義」を「行政、司法、教育の場などで、英語を話さない人々がもともと話していた言語を抑圧し、彼らにとっては外来の言葉である英語を押しつけようとする力」と定義しておこう。

ウェールズでは一六世紀の公式併合以来、司法と行政の場ではウェールズ語が禁止されていたし、本章で見たように一九世紀の教育の場では、教員も生徒も教室内でウェールズ語を話す、いや一語も発することすら原則として禁じられていた。一言でも口に出そうものなら、罰札が首にまかれ、鞭打ちが待っていた。

こういった状況はたしかにいたいけな子供たちに自分の親の言葉とは違う英語を強制する「英語帝国主義」の事例である。ウェールズ語を一言も理解しない調査委員たちは、いきなり訪問して、聖書の知識を英語で矢継ぎ早に聞いてはすぐに答えられない子供たちを、自分の言うことを「一言も理解しない、傍観するだけの愚かもの」と決めつけたり、(31)「おとなしく救いがたい愚かさの痛ましい権化」と嘆いた。(32)「エデンの東とはどこか」「天使とは何か」

とか大人でも答えられない質問をして、子供たちはまったくの無知だと解釈した。

調査委員は、不十分な通訳に頼って複雑な質問をして、子供の返答を誤解もした。「英語の無知ゆえに、すべてに無知となる」と断言し、英語の運用能力と識字能力を同一視した。生徒の達成度は最悪だとの判断を下した。彼らには、古いウェールズ語を保持しながら英語を獲得するというバイリンガルという発想は持つことはなかった。また、イングランド人の教員のおおかたは、ウェールズの子供たちにはまったく未知の言語である英語を翻訳や説明を通じて教える必要性を意識していなかった。報告書全体を見ても、説明言語や教授言語としてのウェールズ語を残して、英語を教え得るという発想は一部に見られる(33)ものの十分ではなく、ほとんどは英語だけの使用を押しつけた。

これらは、たしかに相手が分かろうが分かるまいが考慮せず、英語を振り回す、傲慢、無神経な英語帝国主義の場面である。どこに行っても誰とでもいつでも英語が通じると思っている英米人がいまでもいるように、これは今日に至る現象である。ことごとく今日まで見られる英語帝国主義の原型といってもよい。

しかし、英語帝国主義の実態はどうだろうか。報告書に登場する英語を教える教員の多くは英語に堪能でないばかりか理解もしていないウェールズ人であり、イングランド人の教員ですら訛りがひどく、教科の知識も十分ではない。教員の英語能力に即応するかのように、生徒の学習の達成度はきわめて低く、毎日読んでいるはずの聖書も、暗記はしているものの内容は理解していない。無能の教員と退屈な生徒がいる教室が行き着く果ては、教室の無秩序状態である。これはたしかに誇張されている部分があるが、英語帝国主義の成果といえば、ほとんどない。かつて英語を話せなかった生徒が学校通学を通じて大部分は話せるようになっていることを英語帝国主義の成功というならば、この場合は、みごと失敗しているとしか言いようがない。ここに見られる像は、英語のネイティヴ・スピーカーが権力をかさにして非英語住民に英語を押しつけるというのではなく、不十分で成果も上がっていない、いわばできそこないの英語帝国主義である。

すでに触れたように、英語を知らなければ世間もわたっていけないとのウェールズ人の親の見解が多く報告され、くだんの「罰札」もそうした親が子供にウェールズ語を学ばせたくない親の要望に応える一手段だったとの見解[34]もある。

（4）親たちの要望

ウェールズにおける英語帝国主義がウェールズ語の抑圧、英語の押しつけだとすれば、子供たちへの英語をむしろ歓迎しウェールズ語の方を回避しようとする親たちの要望は、こういったウェールズにおける英語帝国主義の成果への反証として指摘される。この親たちの要望、言い換えると、強者に支配される周辺の少数民族や少数言語の人々の英語志向は、おうおうにして英語帝国主義論の「最大の弱点」と見なされたりしている[35]

しかし、中心の英米の権力者から見ると、こういった英語を志向する周辺の人々は、植民地状況下の「飛んで火に入る夏の虫」であり、彼らの「自己植民地化」ひいては「文化的自殺」ほど都合のよいものはなかった。英語帝国主義は上からの強制はもちろんあるものの、下からこれに迎合して「飛んで火に入る夏の虫」さながらに文化的な自殺を遂げる者がいて完成する[36]。もちろん、周辺の民衆がいきなり英語を志向するのではなく、まず周辺のエリート層が英語に迎合し、この周辺の英語エリートに乗せられるのが、周辺の被支配層である民衆の親と子供たちである。

こういった「夏の虫」を誘う「火」を燃やす「迎合」の戦略の他に強制の側面を併せ持つ多面性を持ち、中心＝周辺（世界大の中心＝周辺ばかりか周辺におけるエリート＝民衆関係も含む）構造を組み立てている英米の英語帝国主義の大元を見なくてはならない。

その上で最後に確認すべきは周辺の民ウェールズ人も英語を志向したからといって、けっして自分たち言葉の消滅を望んだわけではなかったことである。たしかに多くのウェールズ労働者階級の親は子供に十分な英語を習わせて、少しでも高い賃金、高い地位の職業に就かせることを望んだ。それを受けて、ウェールズの子供たち、および若い男女たちもイングランドの仕事や教育に磁石のように惹きつけられていった。これが「帝国の太陽が当たる絶好の場所へのあこがれで血迷う、強奪された小さな国」と書かれたウェールズにおける多くのウェールズ人の希望であった[37]。

しかし、彼らは、ウェールズ語の完全な消滅を望んだわけではなかった。ウェールズ語も家庭と共同体、とくに宗教の言語として維持するように望んでいた。これはとくに非国教徒にあてはまった。一般のウェールズ人ばかりではない。調査を実施する契機を作ったウェールズ出身の下院議員ウィリアム・ウィリアムズは、英語を学びたいとの切実で普遍的なウェールズ人の希望を知っていたので、調査を提案したが、これは彼がウェールズ語は消えてなくなれ、と望んだことを意味しなかった。彼は英語の教育に賛成したが、ウェールズ語の教育に反対したわけではなかった。すでに引用しているエヴァンズ師の言葉「彼らが英語を学び、しかし、自分たちの言葉を忘れないようにすることは有益と考えます」というのも同様な意見であった。

第五章　帝国からウェールズへ、ウェールズからパタゴニアへ

1　インドからウェールズへ

（1）ウェールズとインドの共通点

一八三〇年代のブリテン領インドでは、インドの伝統的な学問の普及に教育資金を充てるべきだとの「オリエンタリスト」と近代的な西欧教育の促進に当てるべきだとの「アングリシスト」との論争があり、一八三五年にインド政府は西欧の科学と文学を英語のみを通じて教育されることに資金を充てることに決定した。これにもっとも重要な役割を果たしたのが、総督の参事会の法律担当メンバーであったトーマス・バビントン・マコーリー（一八〇〇—五九年）の『教育覚書』（一八三五年）であった[1]。その後、英語はとくにベンガルで公立の学校やカレッジの教授言語とされた。政府の職を求めるものは英語の知識が必須であるとの発表も一八四四年になされた[2]。

ここで一八三〇年代のインドから一八四〇年代のウェールズにつなげていくために、マコーリーとウェールズ教育調査委員の文言を並べてみよう。マコーリーは「インドで英語は支配階級の話す言語である。それは東洋の海という海にわたり、通商の言語になりつつある。英語はわがインド臣民にとりもっとも役に立つ言語である」「サン

スクリット語やアラビア語よりも知るに値する言語である。英語教育は望ましく、サンスクリット語とアラビア語教育は望ましくない」という趣旨の文章を書いた[3]。

一方、ウェールズの四七年報告書には「社会の最上部分から大衆を切り離している特異な言語」＝ウェールズ語「という現象が見られる」、ウェールズ人の「言語は、必要な情報を得ることも伝えることも出来ない言語で、それがあるために彼らはおちぶれたままになっている。それは旧式の農業、神学、単調な農村生活の言語であり、彼のまわりのすべての世界は英語である」「主要道路、境界州、鉄鉱や石炭の鉱山への英語を話す労働者の流入、要するに現代的な活動と接するあるあらゆる場所から、英語は急速に広がっている。鉄道と大鉱床の全面的な開発は、こういった接触点を倍増させる前夜である。ここに、人々の教育の大義を突き動かす原動力がある」という趣旨の文章が書かれている[4]。

この両者には、英語を話すか話さないかによる階級の分断、英語を重視する様々な現代的な状況の出現、英語教育の優位とそれに伴う現地民が従来使用してきた言語の排除といった共通した指摘が見られる。マコーリーがインドで一〇年ほど前にインドの古い言葉を情け容赦なく一掃していたように、一八四七年の調査委員たちもウェールズの古い言葉を一掃したとしても驚きではない。というのは調査委員もマコーリーもある一点で共通していたからである。それは近代文明に十分精通するには、ウェールズ語でもアラビア語、サンスクリット語でも達し得ないと信じていたことである。

こういった指摘はすでに歴史家クープランドや歴史社会学者で「国内植民地主義論」のマイケル・ヘクターに見られる[5]。クープランドはウェールズ教育調査委員たちは「マコーリーのイングランドの知的環境を生きていた」と指摘して、三〇年代のインドと四〇年代のウェールズが置かれた状況の類似性から発生する三〇年代のマコーリーと四〇年代の調査委員に共通していた知的環境を示唆している。もちろんこれだけでは、十分な立証とはならず、インドが原因でウェールズが結果だったというような「因果関係」の証拠となるわけでもない。ただ、インドという遠い辺境の「帝国」とイングランドの隣人でありながら言葉も民族も異なったウェールズ「地域」には、英語という言語問題ないし教育問題で類似した「知的環境」はあった。そこで、まずは、前記の両者の「言説」が似ていることを出発点にして以下の検討に踏みだそう。

(2)「血と肌の色はインド人でも知性ではイングランド人」

すでに触れたように一八三〇年代のインドにおける、限られた教育資金の使用をめぐる「オリエンタリスト」と「アングリシスト」との論争の決着に貢献したのはマコーリーであった。この問題が議論された委員会では、マコーリーの報告によれば、まず委員会の全メンバーが同意していることとして、インドの現地民が話す方言が教育の言語になり得ないことだった。この諸方言は、「あまりに貧困で粗野に過ぎる」ために、貴重な作品をこの言語に翻訳するのはむずかしいからである。

現地の言葉が現地の人々の知的改善に効果がないとなると、いかなる言語があるか。ここで委員会は、アラビア語とサンスクリット語を強く推薦する者とマコーリーのように英語であるべきとする者の二手に分かれた。マコーリーにとって、この問題はどちらの言語が学ぶに値する言語かである。ここから、彼は、アラビア語とサンスクリット語を貶め、それと対照的に英語を称揚していく。

マコーリーにはアラビア語にもサンスクリット語にも知識はなかったが、その価値を正しく評価しようとして、もっとも著名な両言語による作品を翻訳で読み、両言語の専門家＝オリエンタリストに意見を聞いた。その結果、オリエンタリストたちは誰一人として「優良なヨーロッパの図書館のたった一棚はインドとアラブの現地人が書いた全文献に匹敵する」ことを否定せず、両言語による詩は偉大なヨーロッパの国の詩に匹敵しうるとも言わなかった。

それにひきかえ「われわれ自身の言語」である英語の正当性は繰り返し述べる必要はない。英語は西洋の言語の中ですら卓越している。英語には、ギリシャ人が私たちに残してくれた作品にも劣らない想像力の作品、あらゆる種の模範となる雄弁の書、最高の歴史書、人間生活と人間性を正確に生き生きと書いた作品、形而上学、道徳、統治、貿易、科学などの本、等々がたくさんある。

次いで、以下のように続けている。この言語を知るものは誰しもこの地球の全国民が九〇世代（＝約二七〇年）にも営々と創り上げ蓄積し続けてきた、膨大な知識の富にたやすく近づけるのである。この言語によって今残されている文献は三百年前に世界中の言語で書かれた全文献を合わせてもさらにそれ以上の価値があるといってもよい。これにとどまるものではない。インドでは、英語は支配階級の話す言語である。それは東洋の海という海にわたり、通商の言語になりつつある。それは興隆しつつある二つのヨーロッパ社会、一つはアフリカ南部、もう一つはオーストララシア（オーストラリア、ニュージーランドとその近海の島々）の言語である。これらは年ごとに重要となり、わがインド帝国と緊密な関係を結んでいく社会である。

結論として、英語はサンスクリット語やアラビア語よりも知るに値する言語であり、現地民には、英語教育こそ望ましく、サンスクリット語とアラビア語教育は望ましくない、となる。この国の現地民を完全に英語の学習者にするのは可能である。この目的に向けてわれわれの努力は払われる必要がある。具体的な目的としては、インドにおいて通訳となる一団の人々の創設である。すなわち「私たちはいまや私たちと私たちが支配する幾百万の人々との間の通訳となりうる階級を創設するのに最善を尽くすべきである」。これは、血や肌の色はインド人でも趣向、意見、知性ではイングランド人であるような人々の階級である。この階級は、膨大な大衆人口に知識を行き渡らせる適切な媒体となるものである。(6)

(3) 言語のヒエラルキー、通訳階級

以上のように、マコーリーは、一八三五年にブリテン統治下のインドにおける教育にとって、進むべき正当な方向を示していると確信した結果、英語をインドの学校で教育する言語とする論拠を雄弁に展開している。

この過程でマコーリーが「専門家」「オリエンタリスト」の意見を鵜呑みにし、委員会内の反対者を押さえるのにも使ったのは、サイードの『オリエンタリズム』論からは興味深い。サイードが述べたとおり、ヨーロッパ人による東洋についてのイメージの固定化と知的支配＝オリエンタリズムの成立は、ヨーロッパ人の「専門家」に依存した結果であり、その典型的な事例が、ここに見られるからである。

この覚書では、言語のヒエラルキーが明確に構築されている。もっとも底辺にはあまりに粗野な方言＝インド諸語がある。その上の段階には、アラビア語とサンスクリット語があり、この両言語はオリエンタリストに評価を聞いてみざるを得なかったほどの威信はあった。さらにその上位には、ヨーロッパ諸語があり、その最上位に「われわれ自身の言語」英語が鎮座している。「われわれ自身の言語」という所有格での表現は、英語が国民としての誇りの源泉となりつつあった状況を反映しておいる。最上位の地位を正当化する理由は、まず英語は詩や文学の想像力の作品で抜群なことの他に、事実と理論の言葉として、雄弁の書、歴史書、形而上学、統治、貿易、科学の書物を輩出して役に立つ言語なこと、決定的には、通商の言語として、インドばかりかアフリカ、オーストラシアにわたる国際的なコミュニケーションの手段としての実践的な価値を持っていることである。

マコーリーは、「われわれの課題」は「この言語を教える権力が手中にあるとき」に、どうして他の言語を教えるのかと問いを立てた。言語を教える権力、言い換えると、英語帝国主義の推進者としてのマコーリーの言説は、本格的で公的な政策表明であった。これを支えたのが同時代の言語学理論で、その一部が前記の言語のヒエラルキー論(7)であった。

この表明を踏まえ、植民地権力の維持を図る実践的な方法を強化するために、マコーリーの行き着いた結論は、インドにおける通訳階級の育成であった。これは、インド人エリートには、従来とは異なる役割を担わせることを意味した。インドでは、多くの学術書は「死んだ」言語か「街角」では話されていない古い秘密の言語で書かれていた。著述の目的は、知識を世間に広めると言うより、芸術や哲学、科学の同類の仲間に「秘密」を時空を超えて伝えることであった。(8) マコーリーは、インドの読み書き能力を持つエリートに、専門的な技能や学芸の保護ではなく、ヨーロッパでのように「大衆」に知恵を伝え、「大衆」を従属者に転換させる役割を担わせようとした。

また、この通訳階級の構成員は、二つの言語間の翻訳や通訳を行う人々ながら、インド的な価値観ではなく、あくまで、英語の知識とともに獲得しなければならないイングランド的な価値観から、翻訳や通訳なりが行われることを意味した。すなわち、この政策が成功するか否かは、インド人の通訳階級が自分たちを植民地化したブリテンの権力を受け入れ、それに貢献できるか否かにかかってくる。現地のエリートが植民地の権力構造に反発するのではなく、これを受け入れ拘束されなければ、ブリテンの利害の実効性は出てこない、とのマコーリーの意見は明白であった。まずは、植民地化された人々でもとくに知的で野心的なメンバーに英語教育とイングランド的な価値観を受け入れさせる。つぎに、彼らを植民地支配の要石として、植民地支配のための現地の文化的「協調者」を創設するのである。

この方策は一九世紀のブリテン帝国に限ったものではなく、もっと古くからあり、ヨーロッパの統治者は、帝国領のすべての先住民に自らの言語の使用を課そうとしたこと、すべてでなくとも少なくとも植民地エリート層にそうしようとしたことが明らかになっている。一七世紀におけるスペイン領のグアテマラ、西インド、オランダ領のインドネシア、スリランカをめぐるスペインやオランダの「言語帝国主義」の研究からは、スペイン語やオランダ語を話せた現地のエリート層が優遇された事例がわかる。(9)

しかし、他のヨーロッパの国、たとえばポルトガルの植民地インドのゴアの事例と比較するとブリテン領インドの特異性が浮かび上がる。ゴアでは現地人への三年間のポルトガル語履修の強制、履修の不承諾者に対する厳罰、現地語で書かれた書物の焚書がもくろまれ、奇しくもウェールズ報告書が出た同じ年の一八四七年には小学校での現地語の使用禁止命令が出された。

ゴアの場合、現地語を否定する強大な権力はあからさまで直接的である。これは強大な分、かえって反発を呼び、現地語への執着はむしろ強まる事態も予想される。マコーリーの提唱する政策の場合、現地語否定の権力はあからさまというより隠微で間接的である。英語の運用能力を獲得すれば、自分にとり最大の利益となるとインド人に信じ込ませる一方で、「君たち被植民者の言語、文学、文化、社会は先進国と比較して劣っているのだ」というメッセージを被植民者に送り続けた。この方法は強制的ではないものの、それが成功すると、かえって深刻な事態となる。被植民者自身が、自分たちの後進性、貧困、文化的社会的劣等性と結びつく現地語を捨てたいと望むにいたるからである。(10)

こういったインドにおけるねらいがそのままウェールズにも適用されたかははっきり言えない。いまインドとウェールズの違いを確認しておくと、マコーリーはインドの高等教育における言語をどれにするかの問題を扱ったし、マコーリーの唱えた通訳階級の創設は、通訳階級を育成して高等教育を受けた者が初等教育にもその成果を伝えるといういわゆる「濾過理論」だったとも言われている。これに対して、ウェールズの四七年報告書は、ウェールズ人労働者階級の英語知識の調査対象となったのはあくまで「初等教育」である。これらのねらいや対象でインドとウェールズでは異なる。しかしながら、対象が高等教育か初等教育かは問わず、被植民者の「後進性」を嫌が上でも認識させ、現地語を捨てさせるに至る点では共通していたと言える。

2　植民地からウェールズへ

（1）インド以外の植民地の教育

ウェールズの言語問題に影響を与えたのはインドにおけるマコーリーの『教育覚書』ばかりか、インド以外の植民地からの影響もあった。しかも、これを示す史料を書いたのは、ウェールズ教育報告書の作成を命じた枢密院教育委員会永代事務長ジェームズ・ケイ＝シャトルワース（一八〇四―一八七七年、マコーリーの四つ年下）であり、彼は、ウェールズばかりか、植民地（インドをのぞく同時代のブリテン帝国のほぼ全体の植民地）の教育問題に関わっていたのである。一八三〇年代のマコーリーのインドと四〇年代のウェールズは知的環境が似ているとまでは言えたものの、直接的なつながりは見えにくかった。しかし、注目したいのは、ケイ＝シャトルワースの眼がウェールズと植民地の両方に向いていたこと、この史料がインド以外の植民地とウェールズが結び付いていたことを示すことである。

この史料は、一八四七年一月六日付けのケイ＝シャトルワースから植民地相次官ベンジャミン・ハウズあての省庁間公式書簡である[11]。この文書は、ブリテン領植民地の「有色人種（coloured races）」の教育制度の一部としての、初等学校、実業通学学校、模範農学校、師範学校を設立し運営する方法について、簡潔な実践的示唆をする文書であり、ごく初期のブリテン帝国内部の「有色人種」の教育に関する見解を示している貴重なものである。

一八四六年一一月三〇日に西インド植民地の複数の総督からの回状とともに、陸軍植民地相グレイ伯の指示のもとに、枢密院に送られた、と冒頭にあるように、この文書が起草された契機は西インドの解放奴隷たちの教育問題であることが分かる。

「興奮するとたやすく我を忘れ、文明社会の農民にはふさわしくないと見られる娯楽を必要とする人種」のために、知的な教育と実業教育を結びつけ、子供の労働力を有用に生かして、彼らにかかる教育費をうまく使うような、有色人種のための実業学校を植民地で開設できないか、奴隷から解放されたばかりの「半野蛮人」のためには、道徳と体育、知育と実業教育、宗教教育と生活指導の相互関連というように、いくつかの訓練と教唆の形態は相互に助け合うという信念のもとに設立されるべきではないか、との問題が表明された後に、以下のように述べられている。

賢明なる植民地政府は、ニグロ人口の中に現地民の中流階級を次第に形成すること、こういったはるかな展望を与えてくれる方策を無視するわけにはいかない。これは財産の保護に関心を持ち、地域の秩序を取り締まり、小規模の地域事情機関に参加するにたる知性をもった一団の人々を育て上げることによって達成される。(12)

また初等学校以後ないし以外の学校は実業校、農学校、師範学校の三種類の学校であり、実業校が一三―一九歳の生徒、農学校は、一四か一五―一八か一九歳の生徒、師範学校は実業校を準備段階として、一年か一年半在籍させる学校である。このうち農学校の設立目的は、以下のように述べられている。

農学校は、お金をよく貯めて小農になる労働者の階級と、より高度な知識と技術を得て、資本を有益なことに使える小農のために創設される。この学校の目的は、農業人口における、誠実で、信仰に厚く、豊かな中流階級の創設である。(13)

これらの「中流階級」の創設に触れた文言は、先のマコーリー覚書の結論であるインドにおける通訳階級の創設の提言を強く喚起させる。

（2）「文明の媒体」としての英語

以上を実現する実践的示唆の事項としての「グレート・ブリテンの植民地属領の有色人種教育の目的」は、以下のように九つにわたって述べられている。初等学校で指導可能な教唆により、諸原理を教え込み、キリスト教の影響力を推進すること。この人種の子供たちに自己規制と道徳訓練の習慣になじませること。植民地の有色人種にとって文明のもっとも重要な「媒体(agent)」としての英語の文法の知識を広めること。健康とは、いかに適切な食事、清潔さ、換気、衣服、住居の建築に左右され、保持しうるか、を教え、学校を農民の状態を改善する手段とすること。労働者が家内の快適さを改善できるような手仕事ばかりか、家計、小屋の庭での栽培をする実践的訓練を施すこと。倹約ができ、より小規模の農民にも計算力を伝えるように、読み書き、算術の知識と、必要に応じて、その応用の知識を与えること。処女地を次々と使い果たして疲弊させ、自然の回復に任せる方法ではなく、農法の改善が必要な植民地があることを教えること、これなくしては、有色人種教育は完成しない。植民地教育の教科書は、母国と属領との相互利益、この関係の合理的基礎、有色人種の家内的および社会的義務を教えるものでなくてはならないこと。この教科書は、賃金、資本、労働の関係を説くばかりか、地方政府と中央政府が諸個人の安全、自立、秩序に及ぼす影響力についても述べるべきであること。

この中でも「文明のもっとも重要な媒体」としての英語は、実業校と農学校で英文法として、師範学校で英文法、英作文という必須科目として挙げられており、重要視されていることが伺われる(14)。

ここから最小限言えるのは、まず、インドであれ、ブリテン帝国のいずれの植民地であれ、イングランド人の言語＝英語で教育する目的に関する見解は、マコーリーとケイ＝シャトルワースではきわめて似ているということである。しかも、この見解は、ブリテン内の辺境ウェールズにおける労働者階級に対しても適用されていく。

また、英語以外の植民地における実践的な教育の目的は、子供に、倹約、清潔さ、「喜ばしい勤勉」を奨励するために、食事の改善、換気、庭造り、家計（プラスして女子用には洗濯と料理）などの重要性を教えることを銘記している。これらもウェールズでの調査事項と重なっていく。

さらに、「野蛮から出現したばかりの人種に、従属と喜ばしい勤勉の中で、また相互の慎みや善意の中で、さらには財産への尊敬などの中でなされる、子供たちの訓練により、宗教教育の成功が推進されることになろう[15]」といった中の「従属」「勤勉」「慎み」「善意」「財産への尊敬」などの文言に見られるように、教育の目的はあくまで現体制や秩序の維持であり、被植民者による植民地体制への反抗を意図させないことを示唆している。これも後で見るウェールズの場合と近似する。

ちなみに、このシャトルワースによる提案は植民地省で見解が分裂して、次官のヘイズはこの文書が回覧に値するか疑問視したが、大臣グレイはこの懐疑主義を共有せず、この文書は、帝国全体に回覧されることになった。最初は、これが当初想定された西インドに、ついで西アフリカをはじめとするブリテン領植民地全体に回った[16]。西インドでは「勤勉」が奴隷制時代のつらい耕作を想起させたため反発を呼び反対され、アフリカ西海岸では伝道者が賛成を表明したが、実践者は現れず、その目的をおおかた達成できなかった。しかし、後世になって、南アフリカの学校教育史の中でこの文書に注目したド＝トワは、この文書がもたらした各植民地への反応をさらに追究している。西インド、アフリカ西海岸以外の植民地、たとえば、ニュージーランドでは、これに同意する才能ある総督の協力でマオリ人のために実行され最高の結果を生み出した。アボリジニーへの教育の必要性が指摘されていたオーストラリアへの影響は不明である。ケープ植民地では当初は覚書は結果を生み出さなかったが、もっと長いスパンでは、この七年後のニュージーランドで成果を上げていた総督サー・ジョージ・グレイの赴任とともに、このケイ＝シャトルワース提案に完全に沿ったバンツー族の教育、とりわけ農学校で顕著な進展が見られた[17]。この通達文書は、その場限りのものでも机上の空論でもなかった。

3　四七年報告書における「帝国」

(1) 帝国の言語・地理・歴史

前記のように、インドとウェールズには共通の知的環境が認められたし、インド以外の植民地とウェールズには両者に深く関わっていた責任者の文書から直接的な関係も検証できる。それでは、四七年報告書自体には、植民地や帝国は出現しているのか。これが本節の問いである。本書の第三章では、ウェールズ人が植民地の黒人奴隷や原住民の性格描写に似せて「怠慢」「詐欺」と描写されたり、植民地の「高貴なる野蛮人」「ホッテントット」などとたえず比較されたりしたことを指摘した。この調査自体、一種の「植民地状況」のもとでの人類学的なフィールドワーク調査に類似していたために、ウェールズと植民地や帝国をめぐる言説も驚くほど似ていたのである。これを踏まえ、本節では、とくに教育の場面、ウェールズの子供たちに何を教えるのかをめぐる議論に着目して帝国や植民地の出現を確認したい。これはその議論の途中で頻発するからである。

そもそもウェールズの教育状態を調査した契機は、ウェールズにおいて勃発していたレベッカ暴動やチャーティスト運動などの社会的騒擾であった。リンゲンは、これらの「不十分な教育計画から由来する」「野蛮な狂信主義」について語った。そして「英語の無知とは不可分の幾重もの害悪はあまりに自明で広く認められているので取り立てて述べる必要もない」と宣言した。彼にとって、英語教育こそかかる野蛮の解決策と考えられた[18]。

したがって、調査委員たちがウェールズの教育に与えようとした科目は、まず英語であることは言うまでもない。しかし、ウェールズ人の子供を一人前にするには、英語以外の他の科目も教える必要があった。それは、到達度は極端に低いものの、大きな重要性のある歴史と地理という科目であった[19]。リンゲンは「読み、書き、算数」の基本科目の他に専門科目としての「地理、歴史、英語の文法」などの成果が芳しくないウェールズの教育現状を嘆きながら、以下のように述べている。

ためらわずに言うならば、子供は市民として生まれた帝国の区域、帝国の潜在能力、帝国の全般の歴史を学ばないばかりか、帝国の言語も学習しないままに、こういった大部分の学校を出てしまう。この学習こそ、初等学校での地理、イングランド史、英語文法、英語の語源といった種類の知識である。子供たちの思考は千年前の思考と同様、どうしようもないほど偏狭である。いま学んでいるのは千年前と同じことである。彼らの教育にはそれ以降に起こったこと、いま世界で起こっていることにまるで対応していない。……彼らは、学校を出たとたん、もっともありきたりな書類も読めなくなる。……イングランドの首都をトレゴナール（自分たちの町）と答える子供、ロンドン以外のイングランドの町を知っているか、と聞かれてヨーロッパと答えたり、アメリカと答えたりする子供、ウィリアム征服王は、イングランド人をワーテルローで負かした人です、と答える子供、いやヴィクトリア女王の前の治世者だった人です、と答える子供、ナポレオンがロシア人、はたまたアメリカ人、スコットランド人、スペイン人と答えたりする子供は、われらの国民としての存在を形作る思考にどれだけ貢献できるのか、何もできるわけがない。[20]

これによると、ウェールズの子供たちは「帝国の言語」ばかりか、「帝国の地理と歴史」を学ばないままに、学校を終えてしまう。現状では、ウェールズの子供たちは千年前の言語＝ウェールズ語によって千年前のこと＝聖書の記述しか理解できず、視野狭窄もきわまりない。千年間で起こったこと、いま世界で起こっていることを教えるには、いまの言語＝英語で歴史と地理を学ぶがよい、との主張となる。
したがって、今日、わが「帝国」の「市民」として生まれたウェールズの子供は、学校で「帝国の言語」＝英語の他に、「帝国の区域、帝国の潜在能力、帝国の全般的な歴史」を学ぶことが何より重要である。「帝国の区域」とは「帝国の地理」のことである。これを深めるには、基本的な科目である「読み、書き、算数」の他に、専門科目である「地理、イングランドの歴史、英語の文法、英語の語源」の分野にある知識を学ぶ必要がある。「英語の文法」「英語の語源」は「帝国の言語」＝英語の深い理解につながることは論を待たない。南ウェールズのある聖職者も調査委員のアンケートに答えて「英語は偏見を克服し、科学のよりよき知識と帝国のよりよき知識を推進する手段として、よりよく教えられるべきことが望ましい」と回答している。[21] これも「英語」と「帝国」を直結させる思考である。

地理に関しては、イングランドの首都を自分たちの町であるトレゴナールと答える子供はあまりに偏狭すぎるし、ロンドン以外のイングランドの町は、ヨーロッパだ、アメリカだと答える子供がいては、地理教育の現状も嘆かわしい。

歴史にしても、ウィリアム征服王、ヴィクトリア女王、ナポレオンすらしっかり知らない子供は、調査委員には失望をもたらすばかりか、もっと深刻なのは、これでは彼らが「われらの国民としての存在を形作る思考」には貢献しそうもないことである。この事態は、すぐ上の箇所で、ウェールズ人の「才能の無駄使い」によって、「年々背負い込んでいる国民的喪失」とも表現されている。[22]

「国民的喪失」を食い止めるためには、英語と地理と歴史の教育が重要であり、「イングランドの言語」「イングランドの地理」「イングランドの歴史」はそれぞれ「帝国の言語」「帝国の区域＝地理」「帝国の歴史」と不可分としなくてはならない。

（2）「イングランドの歴史」と「帝国の歴史」

イングランドと帝国は、英語と地理においては結びつきやすい。ところが、歴史において、「イングランドの歴史」と「帝国の歴史」は、今日の一般的な観点ばかりか専門的な観点からしても、まったくの別物として研究されているために結びつけにくいと考えられている。しかし、リンゲンに見られるように、当時のイングランド人支配者にとっては、イングランドが支配したブリテン帝国を理解させるには、何よりその帝国を作る推進力となったイングランドの歴史を教えることは自明であった。「イングランドの歴史」は「帝国の歴史」の学習に必要だった。したがって、ウェールズの子供たちを教えるのに、「ウェールズの歴史」ではなく隣の「イングランドの歴史」を教えるのに彼らが何のわだかまりも見せなかったのも、当然である。初等学校の目的の一つが、預かった幼い子供を「イングランドの歴史」ばかりか「帝国の歴史」を教えることによって、「帝国」に忠実な「市民」「臣民」に転換することにある、と確信していたとしても不思議はない。

かくして、「イングランドの歴史」と「帝国の歴史」の両者を結びつけたり、ブリテン帝国を建設したイングランドの推進力やイングランドの中心性を意識して質問する傾向は、他の調査委員にも見られた。たとえば、サイモンズが視察した学校の中には、子供が「イングランドの王様の名」を知っていた学校もあったが、「文明の諸進歩をもたらす、われわれの偉大な勝利や発明についての説明は（生徒からは）聞かれない……歴史（の教科書）が単に読まれるだけで教えられてはいない」と、不平を述べた[23]。

文明の諸進歩をもたらしたばかりか、ブリテン帝国建設にとっても「われわれの偉大な勝利」、たとえば「ワーテルロー」をしっかり教えなければならない、と思っている調査委員たちにとって、先のように「ウィリアム征服王は、イングランド人をワーテルローで負かした人です」と答えた子供が出るのは幻滅であった[24]。

この生徒がいた学校では、「ウィリアム征服王から代々のイングランドの王様の名前と即位年」をありったけの大声で唱和していた。イングランドと帝国の歴史上にある「偉大な勝利や発明」の意義を教えない、こういった唱和式暗記教育の弊害は、あちこちで記述されている。歴史の授業を視察したとき、「ただ読んでいるだけなので」内容に関する質問をしても無駄です、と言われた例[25]、「古代ブリテン人」を改宗したのはジュリアス・シーザーとアグリコラと答えたりして、過去のことについてはまったく知らなかったが、かなり教科書は読めていた女子校の例[26]、それどころか、教科書、地図すらなく、歴史はもっぱら口頭で教えられて、生徒は場所の位置や出来事の連鎖を頭に浮かべてみるだけで、歴史については何も知らなかったグラマースクールの例[27]が報告されている。

もう一例として、生徒がイングランド史の教科書を読んでいるところに遭遇した調査委員は、「マグナカルタ」について聞いたところ、生徒はよく知っていたが、イングランドの政体、統治構造については少しも知らなかった。この歴史は私の考えでは、学校で教えられるべき歴史とまったくの正反対のものである、と記している[28]。暗記教育によって「マグナカルタ」という用語は知るが、これを画期点の一つとする肝腎のイングランドの政体の歴史をまるで知らないようでは話にならなかった。

さらに、先に登場した「ナポレオン・ボナパルトは何人か」との単純な質問にも時間と圧力をかけたあげく、ロシア人、アメリカ人、スペイン人、果てはスコットランド人との答えが得られたが[29]、ブリテン帝国の最大の敵対者が何人かも知らないようでは、ブリテンがフランスに勝利した意義は希薄となり、子供たちがブリテン帝国の臣民であることを誇りに思わせる歴史教育はなされていないと判断した。他方、生徒がたまたまジェームズ二世が「カトリック教を復活させようと」したことを知っていることが分かれば[30]、生徒はプロテスタンティズムの中心性を理解していると判断したはずである。

もっぱら大声で歴代の王の名を唱和するだけでは「文明の進歩」をもたらした「偉大な勝利」を教えられず、ブリテンの偉大さを形成した重要な史実が強調されなくなること、ブリテン帝国が主役を演じるようになった世界を教育しないことが彼らの不満であった。

「帝国の区域」を教える地理も同様に重要と見なされた。地理に関する調査委員の質問は自然地理だけではなく政治地理が教えられているかに焦点がおかれた。質問の多くは、連合王国の構成やその中のイングランドの優越性に関連した質問であり、ブリテン帝国の中心性と結びつく世界地理に関連する質問であった。しかも生徒の回答もこの連合王国と帝国は重なっていたことがあった。生徒は「グレート・ブリテンはイングランド、スコットランド、ウェールズからなる」、ロンドンで「制定された法律は、当地、北アメリカ、東西インド、他に世界中の多くの場所にいる女王の臣民に影響を及ぼす」[31]とブリテン本国と帝国を重ね合わせるように答えたからである。じじつ、このように回答した生徒は、地理に詳しい漁師の子供たちであった。彼らには、王国と帝国を構成する様々な地域の知識があり、「市民として生まれた帝国」に誇りを感じるように教えられている、と調査委員たちは判断した。

以下の事例も王国と帝国はつながっている。「女王の称号がグレート・ブリテンとアイルランドの女王であることを知っていた」が「イングランドとスコットランドの最初の支配者の名前を知らなかった」男子生徒がいた学校に隣接する女子校では、ちょうど「イングランド」が世界中から輸入している様々な植物に関する教科書が読まれていた。内容は、茶は中国から、コーヒーはアラビアとジャマイカから来ていること、ジャマイカは「イングランド」に属していること、砂糖は西インドで奴隷によって作られていることである。生徒は今も奴隷がいるのかは知らなかったが、奴隷はアフリカ人、ニグロである、と答えた。リンゲンは急きょ教員役を買って出て、女生徒たちに、神は異なる国に異なった産品を作らせて、貿易によって諸国を結びつけようとされていると説明もしている。[32]

また、地球の国々（nations）が、必需品の交換により結びついているという認識がなかった生徒がいた学校もある一方で[33]、国際貿易の主要産品を説明でき、ジブラルタル、東インド、マルタ、セントヘレナ、喜望峰についても説明でき、英語と地理を相当知っていた生徒がいた学校もあった。[34]要するに、豊かで多様な帝国の産品を結びつける貿易とその中心にあるイングランド、これがリンゲンの言う「帝国の潜在能力」であり、これを教えていた学校が少数ながらあったことは調査委員の満足した点であった。

(3) 女　王

歴史と地理を合わせたよりもはるかに多いのは女王に関する質問であった。一八三七年に即位してから一〇年ほど経過しており、学校訪問記録から、女王の名を誰も知らない学校があったり、[35] 名前はアレクサンダー[36]、アレクサンドリアと答えたり、[37] 女王の前の治世者は、ウィリアム征服王[38]との答えはあったものの、生徒たちは、女王がいること、ヴィクトリアという名の女性であることが教えられていることは明らかである。

女王の顔が刻まれたコインは、当然ながらウェールズにも流通しており、[39] 調査委員もたびたびコインにある女王の顔を見よ、と生徒に促したために、[40] 女王とは、お金儲けに人を雇う人、[41] 金を稼いだ女[42]と、女王と金儲けと結びつけた生徒がいたり、[43]「一日に一〇〇〇ポンド受け取りながら、それに見合う分はしない」と答えた生徒がいたのは、[44] 調査委員を悲しませたはずである。女王とは下々の民の批判を超越した国民の象徴であって、金銭にこだわり金儲けに汲々とする凡人ではない、と教え、ブリテンの愛国主義をたたき込むのが彼らの考える学校の仕事に違いなかったからである。一方、ヴィクトリアは女王であり、彼女のためにあらゆることをするのがわれらのつとめ[45]との回答は、彼らを満足させた。

女王に関する質問でもブリテン国内と海外の帝国はつながっていた。生徒の方は、女王がブリテン全土を支配していることは知っているものの、何をしているのかは多くは無知であった。「諸国間の殺し合いを避ける仕事」とする一団の生徒がいたものの、正確な役割については多岐な回答があった。「あちこち巡回する」「町を見張る」「イングランドを支配する」「ウェールズは支配したことはない」「ウェールズしか支配していない」とここまでは国内範囲の回答で、ついで女王絡みで「帝国の区域」についての知識をチェックしようと腐心していた。「アイルランドは女王の統治下にある」[46]ことを生徒は知っていたとか、喜望峰が誰に属しているか知らなかった生徒について報告したり、[47]「インドはいま誰に属しているか」との「質問には半ば教員がいさめた」にせよ、[48]生徒の知識を確かめたかったのは明らかだった。結局、この学校の生徒は「インドが誰に属しているかも知らなかったが、インドがアジアの南にあり、イングランド女王に属していること、彼女の領有はかならずしも平和的なものではなく、近年も大きな闘争があった」[49]ことを知っていた生徒がいる学校もあった。[50]

4　ウェールズからパタゴニアへ[51]

(1) ノアの箱船、パタゴニアへ行く

前々節では、四七年報告書にはインドや植民地からの影響力があったこと、前節では四七年報告書自体にも帝国や植民地が頻繁に出現していたことを確認した。本節では、視点を「インド、植民地からウェールズへ」から「ウェールズから海外へ」と逆方向に変えて、今度は、四七年報告書を踏まえて、いかにしてウェールズ人が海外に目を向け、打開策を練り実践したかに着目する。

四七年報告書は、英語がウェールズの全地域に広範に行き渡るべきで、ウェールズ人が高等教育やよりよき仕事に近づく道となるばかりか、近代社会にもっとも適合する言語として強化されるべきであると論じた。四七年報告書をもっとも激しく非難したウェールズ人もウェールズの学校の英語化には全面的に沈黙し、カマーゼン、ランピーター、スランドベリのカレッジでの英語教育の望ましさ、また一八七二年に創設されたアベリストウィスの大学カレッジにおける英語教育の望ましさには同意した。一八七〇―七一年の公立図書館のデータでは、英語の本はウ

エールズ語の本より一〇倍借り出されていた。ジャンル別に見ると、ウェールズ語の本でもっとも借り出されたのは宗教、詩の本で（英語の本では下から二、三番目）、英語の本でもっとも借り出されたのは物語、小説の本であった（ウェールズ語の本では最低）[52]。

こういったウェールズにおける英語の攻勢の中で、ウェールズ人の中には、もはやウェールズ内にはとどまらず海外への移住によって、押し寄せる英語の到来に抵抗したものもいた。ここで見るのは、四七年報告書以降のパタゴニア移民だが、海外への移住自体の試みは、一七世紀から見られた。すなわち、一六一七年に、カナダのニュー・ファウンドランドにおけるカンブリオル（Cambriol）への植民計画と実践があったが、これは一年も経たないうちに崩壊した。次いで、一六六二年、アメリカのマサチューセッツにおけるウェールズ植民地、および、その二〇年後の一六八二年頃のペンシルヴァニアへの移民があったが、二世代も経たないうちにこの共同体は分散した。一七九八年、西ペンシルヴァニアのアレジェニー・マウンテンズ（Allegheny Mountains）にウェールズ植民地も試みられたが、これも短命に終わる。

一九世紀に入っても、一八一八年に、ニュー・カンブリアがカナダのノヴァスコシアに建設され、一八一九年に、これもカナダのニューブルンスウィックにカーディガンが、一八二一年に、オンタリオのミドルセックス郡に植民地が試みられた。そこではいずれも、行政、社会秩序、法、ビジネスの言語は英語であり、外部世界との意思疎通のためには英語が必須言語だったが、ウェールズ語は家庭と礼拝堂と身近な共同体の言語であり続けた。「新世界」で成功するためには英語の知識が必要で、ウェールズ語にはそのような価値はなかった。こういった英語の攻勢により、入植地におけるウェールズ語は後退した。

これらは、著名な南米のパタゴニア（図5-1）における植民地創設以前の試み、ウェールズ人入植の思想と実践の初期の試みであった。しかし、四七年報告書に反発して、一八四九年に、英語への「同化の圧力に抗しうるだけ

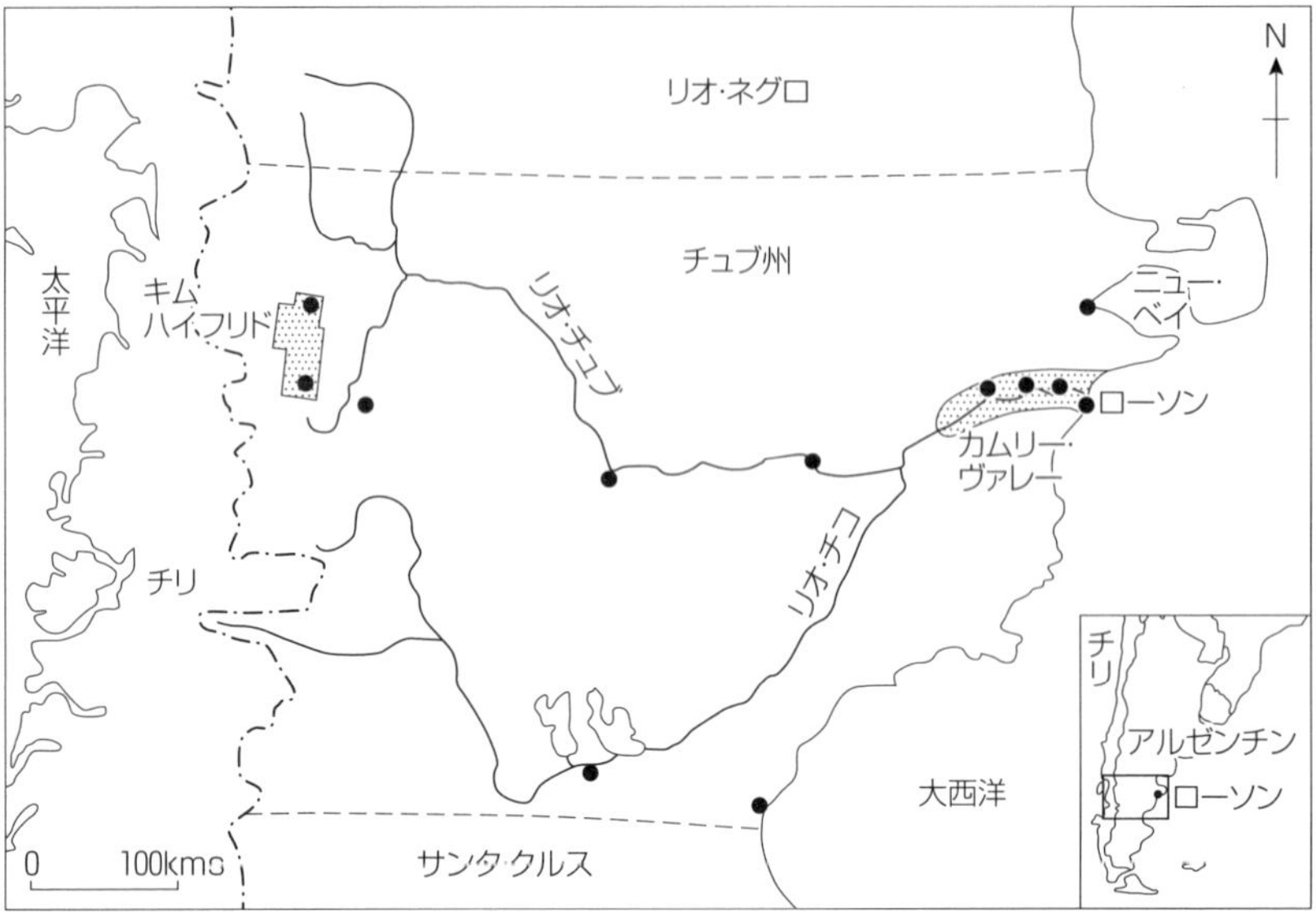

図5-1　パタゴニア

の強い共同を創設するためにウェールズから特定の場所への移住を指揮する」という考えにたどり着いたウェールズ人がいた。アメリカ合衆国のウェールズ教会の牧師として働いており、パタゴニア移住計画の祖となるマイケル・D・ジョーンズ（Michael D. Jones）にとって、言語の喪失はウェールズ社会の破壊になるのは明白であった。四七年報告書への反発を契機にして、その影響下に書かれた四九年の彼の記事では、言語の喪失はウェールズの道徳性や宗教の喪失を招きかねないとの恐怖を表明していた。同様な考えは、北アメリカへ移住したウェールズ人にも浮上していた。一八五四年にはウェールズ人が行く理想の場所はテネシー州ではないかとの案も表明されたし、一八五六年までにはマイケル・ジョーンズはヴァンクーヴァー島がふさわしいとも考えた。イングランドのマンチェスターにいたウェールズ人はブラジルの南部を考えた。一八五〇年一〇月には土地を獲得し、ノヴァ・カンブリアと名前まで付けられた。五一年末までに八〇人のウェールズ人が入植した。しかし、三年も経たないうちにここは消滅した。

アメリカへの移民の基本的な契機が、よりよき生活の希望、経済的成功であったことは確かであり、アメリカ合衆国で成功を収めたウェールズ人もいたが、言語を失うという大きな代償を払っていた。しかし、パタゴニア植民地運動の動機は、経済的成功が唯一ではなかった。それは、宗教、言語、政治、文化の理想の実現であった。パタゴニア以前の実験は失敗し、ウェールズ人は失望した。しかし、失敗から今後のパタゴニア植民地の建設に成功の秘訣を与える教訓も学んだ。

一八五六年にカリフォルニアのウェールズ人から植民地運動に乗り出そうとの呼びかけが起きたときに、マイケル・ジョーンズは真っ先にこれに応じた一人であった。ジョーンズは、イングランドとアメリカにいた他のウェールズ人たちの協力を得て、土地と富ばかりか、ウェールズ人の基準、伝統、アイデンティティを守るような入植地を見出す必要を説いた。目的は、ニュー・ウェールズ（New Wales）を築くこと、そこはウェールズ語を話すウェールズ人が暮らせて、国教会の抑圧から解放された非国教会の信仰のもとに生存できる土地であることであった。

一八六一年一一月七日に請願書がアルゼンチン政府に送付される。それはニュー・ウェールズの創設に関する植民地運動の指導者の希望をはっきりと表明していた。「われわれの希望は、われわれの世俗と宗教生活に対する他のいかなる国家の干渉もまったくなく、内政を完全に統括できる国を持つことである。そしてアルゼンチン共和国はパタゴニアにおけるウェールズ植民地が共和国の一領域（Province）として許可するよう希望する」。彼らの希望は、ウェールズ人として生活し、彼らの言語と伝統を維持できる場所に定住することであった。一八六二年四月の請願書の改訂、容認を求める一一月のウェールズ人のブエノスアイレス訪問を経て、一八六五年五月二八日に最初の一団がリヴァプールから出発した。パタゴニアに最初の移民を運んだ船は、英語とその文化という洪水のように押し寄せる波（ウェールズには、この波は取り残された人々をおぼれさせかねないと恐れた人もいた）から免れる「ノアの箱船」の様相を呈していた[53]。しかし、最初の移民の一人は「遠い南に、よりよき国を得たり、それはパタゴニア。われらは虐待や剣の恐怖におびえることなく、平和に暮らしたい」と綴った。

（2）乳と蜜が流れる場所にあらず

二カ月後の七月二八日にパタゴニアに到着した。一五三人の移民が何を期待したかは不明だが、到着した場所が乳と蜜が流れる場所ではなく、低木といばらの藪以外は何もない乾燥した岩がちの場所であることに気づいた。ここは一八三二年にあのダーウィンが「この平野はきわめて不毛な外見をしている。そこは藪と乾燥した草地に覆われ、おそらく人類には永久に役立たない土地にとどまるだろう」と記述していたが、そのようなことなどだれも知らなかった。ウェールズ人の多くはだまされたと感じたにちがいないが、新たな生活への取り組みを余儀なくされた。最初の年月はとりわけ厳しかった。ニュー・ベイ（New Bay）からカムリー・ヴァレー（Camwy Valley, Dyffryn Camwy）までの横断の間、問題となったのは食料と水の不足であった。まったく不慣れな環境の中での狩りを余儀なくされた。

ローソン（Rawson）と呼ばれる場所に落ち着いたもの、家屋の建築資材が見当たらなかったので、泥と藁からレンガを作り、屋根も葺いた。一年も経たないうちに川の洪水ですべてが流された。不屈の精神でこの災難に立ち向かい、もっと高い場所に家屋を再建した。この新しい村には日曜礼拝のために礼拝堂が建てられ、これは子供たちのための平日学校、法廷、統治評議会用の集会所、監獄にも使われた。

最初の二年間は収穫はなかった。厳しい試練が待っており、開拓者の精励と信念がつねに試された。アイルランド人の医師を含むものが立ち去った。一八六七年には一一六人しかカムリー・ヴァレーにはいなくなった。そのうち二一人はここで生まれた子供だった。第一次移民団のうち四四人が立ち去り、一四人が死んだ。一八六八年にはまったくの予告なしに川が氾濫し、堤防を決壊して、すべては海に流されてしまった。アルゼンチン政府は別の場所を提案し、それに乗じてそこに移った者もいたが、ルイス・ジョーンズはそこでは独立した地位を維持できなくなると説得し、たいていのものは残った。

三年後には、土地は持てるようになったものの生活は貧困なままだった。しかし、ウェールズ語を話す植民地という考えの芽はまだ生きていた。ここでは宗教と言語と言語の自由があったし、自治社会だったし、子供は母語で教育された。アルゼンチンの他に場所に行くと富を獲得し、経済的成功は得られても、ウェールズ人としての自立的な植民地としての存続はなかったはずである。カムリー・ヴァレーでは、多少の原住民を除けば、ウェールズ人は多数派であり、ブエノスアイレスまでの一〇〇〇マイル（およそ一六〇〇キロメートル）には有力なアルゼンチン人もいなかった。この植民地における最初の三〇年間の発展が有利に働いたのは、首都との遠い距離のためである。ウェールズ人は一九世紀末まで自由に行動し、ウェールズ植民地とウェールズ語を話せる植民地を建設し維持する夢を実現した。

（3）行政、商業、教育はすべてウェールズ語で

きわめて残酷な困難や厳しい生存条件にもかかわらず、移入民たちは自立することに成功し、まもなく荒野のただ中に肥沃な園を建設した。砂漠と混乱から、畑、庭、果樹園を作り、村、町、道路、鉄道、礼拝堂、教育制度、潅漑システム、カムリー商社、すなわち「協同組合」を作った。ウェールズ語の新聞も発刊され、地方議会の議事録もウェールズ語で記録された。アイステッドフォダウと文芸集会が盛んに開かれた。

ウェールズ語が本国ウェールズよりもこの植民地の方がはるかに卓越した地位にあった。実際、ウェールズ語は一八六五年から世紀末までここで意思疎通のための唯一の言語であった。英語はこの平原では何ら特権的な地位も

特別な用途もなかったどころか、不要であった。ウェールズ語のみで間に合った。第一次移民団から到着以前から選出されていた一二人からなる評議会によって、法と正義はウェールズ語で運営された。すべての訴訟がウェールズ語で聞かれ扱われた。したがって、この植民地では、一五三六年の連合法以後ウェールズで奪われていた法的権利を取り戻した。

誕生も死亡もウェールズ語で登録され、結婚証明書もこの言語で発行された。さらに土地と財産の譲渡、遺言もウェールズ語が使われた。地方自治はウェールズ語で、協議会議事録はウェールズ語のみで書かれる。当時、本国ウェールズでは宗教的場面でしかウェールズ語が使われず、その他の公的な場、とくにあらたまった場所では、ことごとく英語が使われていたのと、まったく対照的であった。

ウェールズ語は土地測量、農業、商業、会計の言語ともなった。一八八五年のカムリー商社（Camwy commercial Company）の創設に伴い、通商と経済活動はウェールズ人の管轄下に置かれる。かつてはウェールズ人はブエノスアイレス商人とそのカムリー・ヴァレーの代理人の気まぐれに左右されていた。植民地の経済的将来はその生産物の後背地市場の確保にかかっていたし、カムリー商社の創設以前には、この市場はアルゼンチン人商人の手に握られていていた。彼らの主たる目的は利益の獲得であり、カムリー・ヴァレー経済の促進や強化ではなかった。移民たちはスペイン語に無知なために、ブエノスアイレス商人との商取引に困難をきたしていたが、カムリー商社の創設後はブエノスアイレス商人との交渉はしなくともよくなり、「協同組合」に出向き、ウェールズ語で取引できるようになった。ウェールズ語は「協同組合」の言語にもなった。その議事録と年次報告もウェールズ語で書かれた。ここでも注記すべきは、本国ウェールズでの商取引言語は英語であったのに、ここではすべてがウェールズ語で行われたことである。

一八八四年までにこの植民地が経済的に成功したという揺るがぬ証拠がある。それぞれ二八〇エーカーの農地が三五〇あった。人口は一六〇〇人に増えて、三〇〇人の子供が六つの学校に通った。アルゼンチン共和国でもっとも強力で繁栄した入植地となった。

宗教的な要素は当初から、植民地運動ばかりか植民地自体の生活の要ともなった。マイケル・ジョーンズはキリスト教の布教が植民地の発展にとって重要となることを認識していた。ジョーンズ自身は植民地に行かなかったものの、彼の思想は一八六五年から一九〇〇年までに植民地に行った一〇人の牧師に影響を与えた。近隣性と共同体の意識は宗教組織によってそれぞれの地区で培われた。地区は礼拝堂の管轄区域によって定義された。礼拝堂の指導者は地区住民の行動基準や道徳基準の設定に責任を持った。礼拝堂は共同体生活の中心となり、近隣意識の重要性を再認識させた。一八七九年に三つあったが、一八九六年に一七となり、礼拝堂はすべての家庭にとってすぐ行ける距離に存在するようになった。礼拝堂により、植民地の宗教的学問的道徳的社会的一体性が強化された。

ローソンの日曜学校は初期から強い影響力があった。教科書は聖書であり、聖書は話し言葉であり書き言葉でもあった。口頭試験や筆記試験が三カ月ごとに実施され、子供は話し言葉、書き言葉をマスターする。学校では読み書きそろばんの基礎教育はもちろんその他の地理、気候、天文学などもウェールズ語で教えられた。一八七八年にはウェールズ語を読むための教科書を発刊した。この教科書に基づき、読み書き、算数、文法、地理、歴史が教えられた。一九世紀の最後の二五年間で入植者の子供はウェールズ語の単一話者になった。ウェールズ語は家庭、社会生活、農業、商業、地方自治、文化、余暇活動の言語となる。礼拝、神学や道徳の議論、地域の平日学校における読み書き、学習、教育の言語でもあった。最初の四〇年間にこの植民地で生まれた子供は、ウェールズ語の単一話者で英語やスペイン語を話す必要がなかった。この時期に彼らが全生活をウェールズ語でできた栄光を、残された個人の日記や手紙から伺うことができる。

これも本国ウェールズと比較すると、その違いは歴然である。本国ウェールズでは日曜学校以外の平日学校で、英語が教授言語となっていた。植民地ではウェールズ語の平日学校が日曜学校と並行して発展した。一八八〇年には植民地での最初の教育委員会が設立され、学校用のカリキュラムを構成する責任が与えられる。読み書きがもっとも重要で、算数にも特別の地位が与えられる。ウェールズ語はすべての教科の教授言語となる。とくに算数は実用的で適切だった。子供たちははるかに実用的で効果的な教育を母語で受けていた。当時、これに類した教育は本国ウェールズでは何もなされなかった。本国ウェールズでは学校委員会が一八七〇年以降英語を通じてのみ教育の成功がもたらされるとの信念に基づいて英語を強制した。

(4) アルゼンチン政府の反発

一八七〇年代末から、アルゼンチン政府はこの植民地に関心を示し始めた。そこでの経済的社会的成功の証しが間違いなくあったこと、出現しつつあった危険な独立の精神が認められたためであった。アルゼンチン政府はウェールズ人のスペイン語の無知は、アルゼンチン国民意識を育成する邪魔となり、ウェールズ語はその障害となると考えた。一八七八年三月に、政府は、スペイン語を教授言語とする国民学校を建設する意図から、パウエル（R. J. Powel）というウェールズ人を同地の学校に派遣した。地区住民は言語政策を警戒し、子供をこの学校に行かせるのを拒否したが、政府が三校の学校の経費を負担する条件でパウエルはこの学校に受け入れられた。彼はウェールズ語でスペイン語を教えた。そのための教科書も一八八〇年に作った。

一八八〇年代末までに七校でスペイン語が教えられたが、教育委員会の統制下では、科目にとどまり、教授言語ではなかったし、教員はすべてウェールズ人であった。一八九三年までに一〇校の学校があり、そのうち五校が国民学校（アルゼンチン政府が運営した）、五校が独立系のウェールズ語学校であった。国民学校一校と他のカトリック系の学校二校はスペイン語学校（一八八〇年代にスペイン語の単一語での教育が始まっていた）で、他二校の国民学校はウェールズ語で教えており、スペイン語は科目であった。独立系の五校ではもちろんウェールズ語を教授言語としていた。

ここでウェールズ人とその共同体に敵対するアルゼンチン人が登場する。このアルゼンチン人は、ウェールズ人が同化しないのはウェールズ語のせいであるとの論陣を張った。ウェールズ人はスペイン語が話せないし話そうともしていないと、一八八二年一〇月と一八八三年二月にアルゼンチン政府に怒りの報告書を書いた。一八九六年にも、ウェールズ人は子供にスペイン語を習わせようとはしないために、この国に忠誠的ではないとする同様な論調も見られた。

一八九六年には、教授言語をスペイン語だけにする法律が通過し、初等教育がスペイン語に転換した。この言語政策はウェールズ語社会にただちに有害な結果をもたらさなかった。多くの教員はウェールズ人だったし、ウェールズ人自身も政府による教育への干渉に反対したからであった。ウェールズ語は人口の多数を占める人々の言語であったし、教育ばかりか法と行政の領域からウェールズ語が追放されたとしても、家族、近隣、社会生活、娯楽、宗教、通商（少なくとも協同組合）の言語だったウェールズ語は、入植者の生活に多大の影響を与える多くの部門では地歩を維持していた。

本国ウェールズからの移入民は増えており、その数はおよそ三〇〇〇人にものぼったと言われたが[54]、一九一二年の輸送船が最後となる。この後、第一次世界大戦が始まり、ウェールズとの定期交流が途絶えることになる。大戦は移入民の流入を阻止したし、本国との接触も断った。一九一五年には「（彼らは）五〇年前に上陸した時とまったく同じ外国人である」と、アルゼンチン社会に同化しないウェールズ人への非難が見られた。この主張の核心には言語があった。言語ははっきりとアルゼンチンの敵だった。第一次世界大戦後になると、人口動態に変化が見られ、スペイン語住民がこの地に移り住むようになる。一九二〇年、地区初等学校監察官は「ウェールズ語によって培われてきたウェールズ人の独立の気概は止んだ」と表明した。アルゼンチン政府の政策ははっきりと成功を収めた。異言語を排し、一言語に統一するという国民国家のイデオロギーはアルゼンチン国民国家でも大きな力を持っていたと言えよう。

一九二八年には、カムリー商会が破産し、株主は財産ばかりか、植民地の経済的指導者の地位も失った。これはウェールズ語の地位にも深刻な打撃となり、少なくとも六〇年間続いたウェールズ語を使った初等教育も終わった。商会が大恐慌を生き抜いていたら、ウェールズ人生活も維持できたにちがいない。しかし、ウェールズ人植民地を建設し維持しようとした英雄的な試みは失敗に終わった。

いわゆる「自由貿易帝国主義」論から出現した議論の一つに「非公式帝国」論がある。非公式帝国とは、法律上の公式帝国とは区別された事実上の帝国として、圧倒的な軍事的経済的な影響力のもとにおかれるものの全面的な公式支配のもとにはおかれたことのない領域、具体的には、中東や南アメリカの一部や極東の日本や中国の居留地を指す。(55) これに照らすと、パタゴニアはウェールズの非公式帝国といえるのだろうか。この当時のアルゼンチンは「ブリテンの非公式帝国」といわれることがある。パタゴニアは、ブリテンの非公式帝国の中のさらにウェールズの非公式帝国ということになる。しかし、パタゴニアは、ウェールズ人の移民により一時的な言語の維持やそれを支えた経済的な独立性を保ったものの国民国家アルゼンチンの一言語イデオロギーによりたちまち一領域内の言語の独立性すら喪失させられた。したがって、不完全にとどまった移民と言語の非公式帝国とは呼べるかもしれない。

第六章　四つのネーション、四つの帝国

1　ブリテン帝国史への四ネーションアプローチ

(1) 四つのネーションから四つの帝国へ

ブリテンは多様な民族からなる国である。それぞれの民族は様々なヨーロッパ人の移民や歴史的な起源を異にする人々の代表である。そのうち古代や中世のケルト、ピクト、アングロ・サクソン、ヴァイキングといった主要な民族を取り上げてその起源や歴史をめぐっても大きな論争があり、ここで立ち入るのはむずかしい。そこで、近代史にしぼり、スコットランド、イングランド、ウェールズ、アイルランドに着目する。ウェールズは、一三世紀にイングランドに軍事的に征服されて、事実上併合されていたが、一六世紀に連合法により正式にイングランドに組み込まれた。スコットランド王国とイングランド王国は一六〇三年に同君連合となり、スコットランドは一七〇七年の連合法でイングランドに統合された。一六、一七世紀に征服されたアイルランドが、連合法により併合されたのは一八〇一年であった。

アイルランドは一九二二年に南アイルランドのアイルランド自由国と北アイルランドに分割された。北アイルラ

ンドはかつての北部アルスター地方の六州でいまも連合王国の一部である。一九九九年には、一七〇七年の連合法による解散から三〇〇年近く経過してスコットランド議会が復活した。この年には同じくウェールズ議会も復活し、北アイルランド議会にも権限が委譲された。スコットランドでは、二〇〇七年の選挙でスコットランド国民党（Scottish National Party）が議会第一党に躍進した。二〇一一年の選挙で、同党は単独過半数までわずか数議席という大勢力へと成長し、同党を主軸にした政権を担うまでとなった。二〇一二年に、同党は公約に従って二〇一四年までにスコットランド独立の是非を問う住民投票の開催を明言した。スコットランド独立住民投票は、実際に二〇一四年に実施され、僅差で独立反対派が勝利し、スコットランドは引き続きブリテンにとどまった。(1) 独立にまでには至っていないものの、これらのアイルランド、スコットランド、ウェールズの一九九〇年代末からのブリテン国内の国制上の劇的な変化、あるいは緊張が誰の目にも認識されている。

一方、帝国の方は、一七〇七年の連合法によりスコットランドが併合された瞬間から、それまでの「イングランド帝国」は「ブリテン帝国」として知られるようになった。ブリテン帝国はしばしば世界史上で最大の帝国と書かれるほどグローバルな帝国となった。

ブリテン帝国はサー・チャールズ・ディルケが一八六八年に造り出した「グレーター・ブリテン」という言葉とも言い換えられた。グレーター・ブリテンは、続く数十年間に繰り返し登場し流行した概念である。二〇世紀初めのブリテン帝国に関する影響力ある著述家にして植民地省官僚であったサー・チャールズ・ルーカスも一九一二年の『グレイター・ローマとグレーター・ブリテン』というタイトルの書物を刊行して、それを大いに広めた。その時、彼は、グレーター・ブリテンがグレイター・アイルランド、グレイター・スコットランド、グレイター・ウェールズ、グレイター・イングランドからなっていることを示唆して、それらに関わっていくべき時が来ていたと言いたかったかもしれない。言い換えると、四つの主要な民族は、おのおのが独自のグローバルな役割を発展させていくグローバル・ヒストリーに別々に寄与していく者と自らを見なすようになり、その過程の中で自己意識を作り出した[2]。

このグレイター・アイルランド、グレイター・スコットランド、グレイター・ウェールズ、グレイター・イングランドは、研究が進んだ今では、それぞれアイルランドの帝国、スコットランドの帝国、ウェールズの帝国、イングランドの帝国とも言い換えられる。ブリテン帝国ならば、よくなじんでおり、受け入れやすいものの、アイルランドの帝国、スコットランドの帝国、ウェールズの帝国、イングランドの帝国とはまだ一般には行き渡っていない言葉にとどまるが、以下に見るように研究者レベルでは盛んに議論されるようになっている。

ブリテン帝国史研究者マッケンジーは、今日のブリテン国内の民族性（ethnicities）と帰属意識（identities）の高揚を前にして、国内の多様な民族性と国外の帝国との関係を相互的に探求する方法として「ブリテン帝国史への四ネーションアプローチ」を提唱している[3]。四つのネーションからなるブリテンが一つのブリテン帝国を生み出したのか。それとも四つのネーションがそれぞれ四つの帝国が生みだしたのか。ブリテンから帝国への方向とは反対の帝国からブリテンの方向に視点を転じると、一つのブリテン帝国が四つのネーションからなるブリテンの形成を助けたのか。それとも、四つの帝国があったとしたら、その帝国の存在によってブリテン国家の緩やかさと異種混合性が強調される事態が見られたのではないか。帝国というプリズムを通すことは四つのネーションの相互作用を考察する最良の方法となるのではないか。マッケンジーが問いかけるのはこのような問題である。これらの問題を踏まえて、本書の最終章としてまとめてみる意図から「四つのネーション、四つの帝国」を考えてみよう。

（2）ポーコックからマッケンジーへ

マッケンジーの言う帝国史とブリテン国内史との「相互的なアプローチ」とは、文字通り、帝国史と国内史の相互的な理解を意味する。まずブリテン国内史の方から言えば、経済史のある側面に例外はあるものの、国内史は長期間にわたり帝国には一切触れないまま叙述されてきた。一方の帝国史の方でも、帝国自体の内部における、さまざまな白人民族（ethnicities）へのばらばらな言及は多く見られるものの、ブリテン国家を構成する諸地域のローカルな慣習や知識人（知識層の移民、移民先での彼らの影響力）、宗教的伝統から、いかに帝国支配が影響を受けたか、を系統的に検証しようとする試みは見られなかった。要するに、国内史と帝国史との間には相互的な理解がなされてこなかった。

こういった研究状況を指摘した上で、マッケンジーは、とくに帝国史における「帝国」を見る前提に触れている。すなわち、帝国は分離するもの（separator、牛乳からクリームを分離する液体分離器のような働き）というより、溶解するもの（solvent、食塩＝溶質を溶かす溶媒としての水のように溶剤、溶媒の働きをする）との前提である。マッケンジーの主たる批判対象は、リンダ・コリーであり、コリーはブリテンの帝国的熱意により、また「他者」フランスに直面し、それぞれの民族性は溶解され、個々の民族の歴史の主要な側面が抑圧されてしまい、一八世紀ブリテン国民(nation、「ブリトンズ（Britons）」)の誕生に貢献した、と主張した。帝国によって民族性は分離されるより溶解されてしまうとの前提である。(4) これに対する「軽い」批判として、マッケンジーの帝国はあくまで分離するものである。帝国的世界との関係によって、むしろ、ブリテンの多様な民族性はそれぞれの帰属意識を維持し発展させた、とも示唆する。(5)

ブリテン国内史に戻ると、ポーコックのよく知られた「ブリテン史」論文がある。(6) ポーコック論文は、あまりにもイングランド中心に書かれてきたブリテン史をアイルランド、スコットランド、ウェールズも入れてイングランドとともに四ネーションの視点から書き換えようという主張である。ちなみに、マッケンジーはカナリア諸島、アゾーレス諸島などの真の大西洋諸島とは区別するために、ポーコックの言う「大西洋諸島（Atlantic Archipelago）」

ではなく「ブリテンおよびアイルランドの諸島（British and Hibernian Isles）」とする方を選んでいる。ここでもこれに賛成し、ブリテン諸島を「ブリテンおよびアイルランドの諸島」とする。[7]ともあれ、ポーコックが突きつけた課題を引き受けたカーニーやウェルシュといった研究者による業績も増えている。[8]

マッケンジーはこれらの作品が（現にA・J・P・テイラーによってなされていたように）ブリテン史がそのまま「イングランド史」と見なされ、この両者が限りなく同等視されていた時代はとうに乗り越えたことを認めつつも、それらに欠如しているのは、四ネーション間の関係（ひいては帝国主義との関連）をよりよく照射するものとなる（支配と服従というより）相互作用、相互修正、統合と非統合のパターンへの関心である、と指摘している。

こういったブリテン国内史を踏まえて、これとの関連を意識して、さらにブリテン帝国史への新たな視点を提供するのがマッケンジーの「ブリテン帝国史への四ネーションアプローチ」論文であった。ポーコックの論文が、「ブリテン諸島史」への四ネーションアプローチとすると、マッケンジー論文は「ブリテン帝国」への四ネーションアプローチとなる。これは、ポーコックのアプローチを越えるというより、ポーコックのいう四つのネーションの相互作用を考察する最良の方法の一つは、マッケンジーにとっては「帝国」というプリズムを通すことであるとの認識に基づく。

「ブリテン帝国への四ネーションアプローチ」の分析対象となるのは方向別に以下の二つである。一つは、ブリテン諸島から帝国への方向であり、ブリテン諸島のそれぞれの民族性がブリテン帝国の性格に何を貢献したか、そして、その結果、帝国はどの程度、連合王国内の異なる国民的文化的伝統の融合体（かならずしもよく混合されてはいなかったにしても）となったか、などを問う。

もう一つは、これとは反対の、帝国からブリテン諸島への方向であり、帝国の経験はこれらの人々の民族としての誇りの存続にどれくらい貢献したか、などの問いである。マッケンジー自身が、一九九八年にスコットランド関連で論じたように「帝国は、その世界的な関連とグローバルな連関を構築していく中で、同じほどに、スコットランド人とグレーターブリテンの他の民族のはっきりした帰属意識の保持と強化にも影響を与え、帰属意識を保持し強化する効果があった」ことの探求である。[9] マッケンジーが熱っぽく主張するのは、こちらの帝国からブリテン諸島への方向、それもスコットランド人に関してである。スコットランド人は、ニュージーランド、オーストラリア、カナダ、南アフリカその他での活動を検証する中で、マッケンジーが強い印象を受けたのは、彼らは機会をつかんだことばかりか、それを成し遂げたスコットランド人であるとつねに自己認識していたことである。[10]

ブリテン陸軍を構成したスコットランド人の例も説得的であろう。ブリテン陸軍は、イングランド人の統制下に組織されたものの、士気を高める必要から、スコットランド、アイルランド、ウェールズの民族的帰属意識にも訴える必要があり、その結果、ブリテン陸軍を構成したスコットランド連隊は、尚武の民として、民族的矜持の存続に貢献することになった。またアイルランド、ウェールズの連隊も勇名をはせた。帝国は民族性を分離させるものとの見解は、帝国は溶解するものとのリンダ・コリーの見解との相違を際立たせる。[11]

(3) 犠牲の歴史学を越えて

先行研究を見ていく上で、アイルランド、スコットランド、ウェールズのすべてにわたる問題として、見逃せないのは、一九七〇年代以来、強調されていた「犠牲性(victimhood)」の問題である。代表作はマイケル・ヘクターの「国内植民地主義」論で、これは、イングランド人が海外への野心に乗り出す前に(あるいはこれと同時に)、「ケルト辺境」のブリテン諸島の人々を搾取し従属させたとの考えに基づいて、ブリテン国家統合史を叙述した。[12] ヘクターの後を継いだ著述としては、トム・ネーアンのスコットランド論があり、八〇年代にもアイルランドの低開発論があった[13]

移民研究もしばしば「犠牲複合（victim complex）」に集中しており、とくにその対象となったのはアイルランド飢饉移民、スコットランド高地掃討移民である。これらの「強制」移民は事実であり、これによって「ケルト辺境」の諸経済が歪曲されたのもあきらかである。しかし、移民は選択的だったこと、彼らも単なる敗残者とか逃亡者ではなく、移住や植民地の領有からもたらされる商業的機会や雇用を通じて、すなわち帝国が提供する機会を獲得したことも事実である。

ケルトの犠牲の歴史学はあきらかに一九六〇年代、七〇年代に起きていたいくつかの現象の産物であった。その一つに、スコットランド、北アイルランド、ウェールズにおける重工業の決定的な衰退があり、経済的立て直しが軌道に乗るには数十年もかかり、当座の結果は失業とそれに伴う社会不安、環境の悪化であった。

その後、一九九〇年代後半からのアイルランドの「ケルトの虎」と称される好景気もあり、近年では、アイルランドの歴史はもはやもっぱらイングランドの植民地であるとか、ブリテン帝国領の一つとか、ポストコロニアルの政体の歴史とばかりは叙述されていない。アイルランド人は――軍事的社会的経済的文化的な側面にわたる――ブリテン帝国支配のあらゆる残虐性や暴力に単に屈従したのではなく、帝国のビジネスにも深くかかわった、というわけである。スコットランドの場合でも、帝国はスコットランドを隷属させる資源どころか、スコットランド人がイングランド人との関係において、独自性を主張できる手段を実際に提供した、との認識も歴史家に広まった。これと同時にケルトの文化的矜持と文学、ロック、『ブレイブハート』（一九九五年製作）、『マイケル・コリンズ』（一九九六年製作）といったハリウッド映画（これらは非歴史的で神話的なアプローチにもかかわらずというか、それゆえに、世界的な規模のスコットランド性、アイルランド性の刺激を促した）の再興が見られた。ケルト辺境を出身とする人々も、過去の社会的経済的困難から距離を置くのではなく、自らの存在が囚人輸送（オーストラリア）、掃討移民（カナダ）の産物でありたいとの希望を突然発見した。[14] ネガティヴとしか見なされなかったルーツがポジティヴなルーツとして主張され始めたのである。

（4） 帝国の宗教理論の不在？

従来それほど注目されなかったが今日しだいに認識されつつあることは、帝国の存在によってブリテン国家の緩やかさと異種混合性が強調される事態である。この事態は、アイルランド、スコットランド、ウェールズの全体にわたるもう一つの問題としての宗教の問題を見るとはっきりしてくる。

国内関連では、プロテスタント宗教改革によってブリテン諸島の人々の宗教的な所属はきわめて多様になった。おおざっぱに確認するだけで、アイルランドはカトリックにとどまったものの、主としてイングランドは国教会、スコットランドは長老派、ウェールズは非国教会、という具合に分岐した。これらの国内の多岐にわたるプロテスタント教会をふまえた形で、スコットランド人、イングランド人、北アイルランド人、ウェールズ人は、そのまま多岐にわたるプロテスタント教会を帝国にも移植した。すべての教会の布教活動は、本国と辺境との間のネットワークの構築に貢献した。

キーポイントは、イングランド国教会が帝国の領域での公認教会としての地位の確保に成功しなかったことである。帝国の国教会主義（imperial Anglicanism）は帝国の宗教的な多様性（商業的、人口統計的、政治的な多様性も含められる）に適合しなかった。すなわち、イングランド国教会はブリテン国家内では保持している特権的な地位を帝国には輸出できなかった。言い換えると、帝国領土は本国社会より多様であり、植民地総督、植民地人口、白人の民族的に多様な植民地のメンバーからなる立法府は、国教会をつうじてイングランド性を示すことが不可能であった。

帝国全体にわたる宗教理論がなかったために、イングランド人が帝国のイングランド化に失敗を宿命づけられていた事態を宗教の領域ほど顕著に象徴するものもない。これを受けて、イングランド人、およびのちのブリテン人は、近世において、帝国の宗教理論（religious theory of empire）をいっさい持たなかったと示唆したのは、アーミテイジであった。[15] しかし、マッケンジーは、アーミテイジが気づいていなかったのは、このような帝国の宗教理論が、帝国に行くウェールズ人、スコットランド人、アイルランド人のそれぞれにいきわたっていたことであると、批判している。

たとえば、ウェールズ人は、一八世紀初め以降、大西洋を跨いだ信仰復興運動に関わっていた。スコットランド人はこの点ではウェールズ人の後塵を拝していた。当初、スコットランド高地人の改宗に関わっていた彼らは一九世紀初め以来、インドその他にスコットランド長老派教会を作った。軍人が信仰する様々な宗派に合わせて、各宗派の牧師も任命されなければならないことが認められると、軍隊は重要になる。公認スコットランド長老派教会は最初は伝道団の設立をためらっていたが、一八二〇年代になるとたちまち南アフリカその他で活発に進められた。一八四三年のスコットランド国教会の分裂によって、きわめて活発な伝道活動の時代となった。分裂から生まれた自由教会と正統教会は、いまや、伝道の努力でも多くの関連した活動（伝道師の任命と訓練、伝道団の機関誌の創刊、休暇中の講演旅行の伝統の開発など）でも互いに競い合った。

カトリックのアイルランド人はカトリックをプロテスタントのブリテン国家との違いを示すしるしとして強烈に保持していたことは明らかである。アイルランド人はどこに行くにも聖職者付きでローマとの連携をもつ教会を設立した。たとえば、カトリックは、ブリテンでのカトリック解放令にはるかに先だってオーストラリアに到達した。流刑となった囚人の非常に多くがカトリックであったためである。神父たちは確実に一七九〇年代にニュー・サウス・ウェールズに落ち着き、一方、ブリテン帝国は七年戦争後のケベック獲得によってカナダのカトリック人口を併合した。帝国を通じて神父や修道女たちは、おおむねアイルランド人で、フランス人のこともあった。もちろん、帝国にいたカトリックがすべてアイルランド人だったわけではなく、カトリックにはイングランド人もスコットランド人もいた。聖職者は多様な背景を持ち、フランス人だったこともあるし、スコットランド人もいた。しかし、アイルランド人聖職者は、多数派であったし、アイルランド人司祭のネットワークに支えられていた[16]。

このようなウェールズ人、スコットランド人、アイルランド人の宗教的な野心は、それぞれの明確な民族意識に大いに寄与したばかりか、植民の帝国と統治の帝国を広げたということになる。

(5) アイルランドとスコットランド、その国制、移民、思想

以上のやや全体にわたる問題を踏まえて、以下、アイルランド、スコットランド、ウェールズ、イングランドの個別の先行研究をこの順に一瞥する。まず、もっとも研究の蓄積があるアイルランド関連では、初期の先行研究は、国制史が中心だった。すなわち、一九二二年のアイルランド条約はブリテンとその帝国の両方をめぐる国制上の変化の意義について、大量の探求を導いた。帝国の終焉の先駆者としてのアイルランドにおける国制の変化への関心は、以後数十年も続いた。

国制以外の研究では、一九七〇—八〇年代には、ブリテン帝国におけるアイルランド人、イングランド人ほかの民族の役割のうち、その社会経済的な側面への関心が重要になっていく。他にとりわけ顕著なのは移民研究である。アイルランド人移民は、インドなどのいわゆる属領において重要な軍事的行政的専門職的な機能を果たしていたとともに、カナダ、オーストラリア、ニュージーランド(南アフリカでは劣るものの)、アメリカ植民地、および独立後のアメリカ合衆国で人口構成上で一大勢力であった。彼らの移住先はどこであれ、そこでの植民地諸社会の経済、軍事、警察、他の側面のいずれでも彼らは大きな役割を果たした。

先行研究はアイルランドへの集中を反映しているが、近年の歴史叙述はスコットランドとの比較研究を進展させる必要性を示している。異なる民族性が帝国の領土内で並行してあるいは相互交流的に活動していたありようを検

証する比較研究である。スコットランドに関しては、スコットランド・ナショナリズムの高揚と文化的再興は、スコットランド人のグローバルな歴史叙述への絶大な効果をもたらした。スコットランドと帝国の関係史は一九九〇年代に隆盛した。スコットランドとブリテン帝国を論じて、先に触れた一九九八年のマッケンジー論文以来、怒濤のように本が出ている。[17]

中でも、「近代世界のスコットランド的創出」といった驚くべきサブタイトルを持つ著書[18]は、スコットランドは近代世界の重要な側面を創出したばかりか、アメリカの経済的および社会的哲学の中心的な教義を確立したのは、アダム・スミスの自由市場の経済学、スコットランド啓蒙思想であったと主張している。同様なスコットランドの思想的貢献としては、共同資本銀行、相互依存原理（たとえば保険）、船舶や鉄道などの運輸形態の構築と経営といった経済思想を輸出したことである。

思想以外のテーマはやはり移民である。この研究の成果には、世界中へのディアスポラを跡づける多くの研究、とくにカナダ、アメリカ、南アフリカ、ニュージーランドのスコットランド人を追求した本が含まれる。[19]ディーヴィーは、かつて大学、法曹界、銀行、教育、宗教界におけるスコットランド市民社会の基軸となる側面は一七〇七年の連合を生き延び、スコットランド国民（nation）はその国家（state）が存続しなくなっても存続し続けたと指摘した。[20]しかし、この考察が、植民地にも当てはまるにもかかわらず、植民地に適応されたことはない。

だが、近年の研究ではこういった考察を植民地に適用した成果が出始めている。スコットランド人が帝国に移住して身を落ち着けるとその市民社会の諸側面を移植する。たとえば、インド内の統治と社会関係に対して、はっきりとスコットランド的なアプローチがあったし、南アフリカにおいて、ケープ植民地のもっとも顕著な進展にはスコットランド的な伝統や前例からの発想が寄与した。そのうえ、スコットランド人は、たとえば南アフリカのオランダ人、ケベックのフランス人との特徴的な関係を構築した。

布教のなかでももっとも重要なことは、まず、ブリテン内で、資金調達、指導性、人事などで、階級間、男女間の熱意と接触の場所を提供したことである。教会はまず本国の工業や商業のエリートからの基金調達により、ついでその教義を本国ばかりか植民地にひろく伝えようとする教養人を雇った。教会は、ブリテン内と帝国で雑誌、新聞、講演、説教でプロパガンダ活動をした。スコットランドは、このあらゆるものにおいてとりわけ重要であった。スコットランド長老派は、果敢に海外活動にエネルギーを注いだ。もちろん、民族の境界を越える宗派（会衆派、メソジスト、バプテスト）、国際協力を促す宗派や国境を越える宗派（ローマカトリック教会）もあったが、スコットランドのような民族的宗教的特殊性はなお鮮明にのこされていた。

（6）ウェールズの移民、宗教、言語

ウェールズの帝国との関係の研究は後れをとってきたとは言え、近年では劇的に追いついてもきた。後で触れるのボーウェン編の論集は、一七世紀末—一九世紀初頭におけるブリテン帝国（大西洋世界、カリブ海、南アジア、その他）におけるウェールズ人の役割や位置を検証している。すべてはウェールズ人の帰属意識の文脈から論じられ、ウェールズから帝国へ、その揺り戻しとして帝国からウェールズ自体への影響を扱っている。

ウェールズから見た帝国史研究の遅れはウェールズ人移民がイングランド、アイルランド、スコットランドよりも少なかったこと、センサスや統計でイングランド人と一緒にされてしまい区別がつかなくなってことなどによる。少ないものの以前から隣のイングランド、オーストラリアはヴィクトリアの金鉱、ニュー・サウス・ウェールズの炭鉱、本書でも見たパタゴニアへのウェールズ人移民は比較的よく知られているが、最近増えている研究は移民の帝国的役割をめぐるものである。移民は、行く先々、とくに両ジョーンズが研究対象としたオーストラリアとインドでの雑誌の刊行（「植民地におけるウェールズ語ジャーナリズム」）、協会と礼拝堂の設立、伝統的な詩の朗読と歌唱の会

を通じてウェールズ人としての帰属意識を維持する機会を作った[21]。

ウェールズ人歴史家はウェールズ人の海外経験を矮小化する傾向があったが、今ではこのウェールズ史の経験の中の重要な要素を救出しようとしている。一八九一年の、南インドへの布教に赴いたウェールズ人宣教師は「われらが民《ネーション》はアイルランド人と同様、どこにもいる。ウェールズ人がいないところはない」という言葉を残しているし、二〇世紀初頭の新聞、雑誌で「帝国におけるウェールズの地位」「ウェールズ、無視された帝国の資産」といったタイトルで、帝国におけるウェールズ人の役割が称揚されていた。これは、この時期、ウェールズ人が、無視、過小評価、辺境化を懸念していたことを示す。そこで、ウェールズ人のブリテン帝国における意義を強調することで、同時に、ブリテン国家内部での位置づけを行い、自身の文化的民族的帰属意識を強調した。

ウェールズ人の帰属意識の中心的部分が、スコットランド人、アイルランド人と同様、宗教であるのは当然であり、ウェールズの帝国との関係は著しく宗教の形態をとった。というのも、彼らは宗教を通じてこそ、ウェールズ性を表現するのがたやすいと見たからである。たとえば、最近の研究は、北インドにおけるウェールズ人布教の役割を考察している[22]。ウェールズ人の非国教会への熱心な信奉は、言語と文化においてイングランド化しようとしたイングランドへの継続的な抵抗を反映しており、これがウェールズ人による布教を通して帝国に輸出された。

宗教と密接な関係を持っていたのは、ウェールズ人の言語＝ウェールズ語であり、宗教を通じてウェールズ語が維持された。国教会的な立場からウェールズ文化を侮蔑し、その言語を野蛮であり、教育ばかりかブリテン社会への統合にも有害と決めつけた、報告書が一八四七年に刊行された。この悪名高いウェールズにおける教育調査報告書は、ウェールズ人の道徳性さえも中傷しており、著しい苦痛のもとになっていた。

いきおいウェールズの非国教徒会派は一矢を報いるべく反撃し、ウェールズ人はウェールズ内、およびブリテン内でも反論を試みたが[23]、もう一方で、ブリテン国内にとどまらず、グローバルな役割を通して、一種の国民としての（ナショナルな）目的意識を見いだした。この一例がインドでの布教であった。布教活動のニュースを流す過程はしばしばウェールズ語でなされ（インドで執筆されウェールズの雑誌に掲載された）、それにはウェールズ人としての帰属意識が一貫してみなぎっていた。ウェールズ人としての道徳と精神の再生は双方向的過程と見なされた。すなわち、インドでの仕事は、少なくとも理論上は、ウェールズ語の賛美歌、ウェールズ公国における文芸形式にさえ影響をウェールズにもたらすと見なされた[24]。

いずれにせよ、ウェールズ人が帝国に関わり、その揺り戻しとして、帝国からウェールズの教会、ジャーナリズム、印刷物への影響が見られるようになると、ウェールズの識字教養社会（literate and educated society）への転換が促がされたかどうかの検証が課題となっている。

（7）イングランド、偏在性と曖昧性

イングランド人はおそらく四つのネーションのなかで、もっとも問題のある民族集団である。スコットランド、アイルランド、ウェールズの他の三つはケルト文化と他の文化に対するイングランド人からの脅威にとりわけ対応した。これら三つがすべて取り組んでいたのは、自らの優越性の主張とまで行かなくとも、少なくとも文化における差異の設定によって、劣等感を克服する意識が必要との認識である。

一方、イングランドの文化的表示やイングランドの帰属意識の神話の形成はしばしば後手に回った。その理由は、劣等意識の克服といった志向を持たざるを得なかった他の三ネーションとは異なり、イングランド人はこういった意識を必要としなかったし、イングランドとイングランド人は過去においてしばしばブリテン全体を包括する代喩（一部で全体を表す修辞法）と見なされていたために他ならない。

さらに、帝国関連では、帝国のスコットランド性、アイルランド性、ウェールズ性と比較すると、帝国のイング

ランド性は、つねに明示されるものというより、暗黙のうちにしか見られない。しかし、帝国のイングランド性は、従来問題として自覚もされず十分な議論もされなかったために、これからはコメントの対象となる。帝国の経験によって高められたのは、アイルランド人、スコットランド人、ウェールズ人であることの意識ばかりか、イングランド人であることの意識さえそうだったのでは、との検証である。

議論されなかった理由は、帝国のイングランド性の一方における偏在性と他方における曖昧性のためである。イングランド人の移民に占める比重が圧倒的だったこと、言語（英語）、コモンロー、シェイクスピア、行政システムとその人材でもイングランドとイングランド人は他を凌駕する位置にあり、階級・儀式・騎士道の形態に取り憑かれていたこともあったために、帝国のイングランド性は偏在性をもつ。

また、イングランド人は、一般に、民族性の表示（衣服、ダンス、文化協会）、帰属意識を示するし（たとえば、スコットランド人にとってのロバート・バーンズといったアイコンへの執着）などにとくに関心を持たなかったために、帝国のイングランド性には曖昧性がつきまとった。イングランド人は、他の三ネーションと異なりこれらの防御的なよろいを必要としなかった。

以上によって、現代の歴史家たちがイングランド性が帝国の支配的な文化的表示を構成していたことをしばしば自明とみなしてきた理由が説明される。さらには、多くのイングランドとアメリカの歴史家たちが「ブリテン」を示すときに「イングランド」を使い続けたために事態が複雑化されたのである。

イングランドと帝国との関係、ないし帝国のイングランド性はあまりにも自明と見なされてきたために、実は、もっとも自覚して取り組むべき重要な研究課題である。マッケンジーは、その具体的研究の成果や課題として、以下を挙げている。他の三ネーションの事例に見られたような、帝国のイングランド性、およびこれと反対方向に働く、帝国のイングランド性からのイングランドへの影響、南アフリカにおけるイングランド人共同体、共同体概念の研究、一例としてたとえばバーミンガムの布教団とジャマイカとの関わりを論じたキャサリン・ホールの作品、きわめてイングランド的な制度の研究、たとえばイングランドから白人入植植民地その他へ波及したパブリック・スクール、フリーメーソン、スポーツ（ラグビー、クリケット）、クラブなど。

2　ウェールズと帝国

(1)「ウェールズと帝国」研究の欠如

イングランドと帝国の問題があまりに偏在して当たり前なので見えにくかったとしたら、「ウェールズと帝国」の問題はあまりに少なすぎて検討されなかった問題である。そこで本節ではこの問題を検討する。ボーウェン編『ウェールズとブリテン海外帝国——相互作用と影響力、一六五〇—一八三〇年』のボーウェン自身による序章[25]は、ウェールズとブリテン帝国との関係に特化して、これを真っ向から論じているばかりか、その研究状況をまとめた試論であり、ここで取り上げるに値する。

ボーウェンは、まず、ウェールズとウェールズ人はブリテン帝国史研究のもっとも外縁部分に位置し、一方、ウェールズ国内史でもブリテン帝国は多くを占めてない、との確認から書き始めている。総括的な『オックスフォード・ブリテン帝国史』全五巻[26]でもウェールズの海外帝国への介入には言及はないばかりか、近年の帝国のブリテン国内へのインパクトをめぐる論争でもウェールズへの言及はないし[27]、「新帝国史」を提唱するもの[28]も同様にイングランド中心である。

ブリテン帝国史からウェールズ史固有の領域に眼を転じても、ウェールズ史の概説書はウェールズの歴史的経験の帝国的ないし国際的次元に紙幅を割いていないし、これらの概説書の索引で「帝国」「ブリテン帝国」という言葉を探しても無駄に終わる。一五七七年に「この並ぶものなきブリテン帝国[29]」として「ブリテン帝国」と言う言葉を初めて使った人が、ロンドンのウェールズ人であった博識家のジョン・ディーだったと言う事実からはこれらは皮肉というしかない。

スコットランド、アイルランドを取り込むか言及する枠組みでのブリテン帝国主義論は盛んなのに、これとは対照的に「ウェールズと帝国」に関する研究は欠如している。スコットランド、アイルランドとそれぞれの帝国との関係は「スコットランド帝国」「アイルランド帝国」をタイトルとする本まであるのに[30]、ウェールズとその帝国の関係を「ウェールズ帝国」と想定するのは正気ではないとされようし、『オックスフォード・ブリテン帝国史』全五巻への追加巻としてスコットランド、アイルランドとその帝国を扱った巻が追加されたのに[31]、これと同様な、ウェールズとその帝国に費やす一巻の出現は考えにくいとされている。

かくして、ウェールズとブリテンの海外膨張の歴史的結合には関心が寄せられなかった、と言える。そこで、このウェールズと帝国というテーマに関する研究や文献がなかったのはなぜか、帝国はウェールズやウェールズ人にとって意味がなかったのか、このテーマは歴史家の関心を引かなかっただけなのか、という問いが浮上する。

これに対してあり得る説明は二とおりあり、一つは、ウェールズはブリテンの海外膨張の過程に関わっておらず、歴史家の尽力にもかかわらず、活動や介入の証拠を発掘できない、というものである。そうであれば、スコットランドやアイルランドと帝国の関係よりもウェールズと帝国の関係ははるかに弱いことになり、膨張の担い手となったスコットランド、アイルランドの人々に比べるとウェールズ人の帝国への態度はずいぶん異なり、ウェールズ人は「帝国的人間」ではないことになる。

もう一つは、帝国はウェールズ史に関心を抱く研究者の注目を引きつけていない、というものである。歴史家たちはウェールズと帝国の関係を実際はまだ探求していないので、ブリテン諸島を構成するウェールズ以外の部分との関連で分析されてきた重要問題である、海外プレゼンスの性質と配分、関与の割合、帝国のネットワーク、膨張の経済的インパクト、世界と原住民に対する態度、アイデンティティ構築における帝国の位置等々、に関して、ウェールズの場合は保留すべきである、ということになる。

ボーウェンは、このテーマに関する史料はないわけではなく、自ら編集した本書の諸論文が示すように、ウェールズ内外にたっぷりとあり、ウェールズ国立図書館は帝国関連の豊かな鉱脈であり、帝国の層を掘削したのはごく最近であること、さらに隠された宝石は地方の文書館にいまだ未発掘のまま眠っている、として、史料はあるのに関心を呼ばなかったとの理由を取る。そして、さらに踏み込んで、歴史家がなぜウェールズと帝国の問題に関心を持ってこなかったかを考える必要性を促している。

ここで歴史家を帝国史家とウェールズ史家に分けると、帝国史家に関しては、無関心へのなぞはない。もっぱらウェールズ出身者が彼らの目にとまらなかったからである。ウェールズ人はイングランドでも見られる名字を持つために、個人の特定がしにくく、見誤りやすい。初期の政治的行政的同化があったために、ウェールズ人はイングランド人と記述されたり、統計や分類で「イングランドおよびウェールズ」との見出しで括られることがあった。これらによって帝国史家が史料の中でウェールズ人を特定したり、全体から数を割り出すのを困難とする。しかも、イングランド、スコットランド、アイルランドの人々と比べるとただでさえウェールズ人は多くないし、彼らの海外プレゼンスは色褪せる。ウェールズ人の数が少ないために、ウェールズ人の場合は、スコットランド人、アイルランド人のようなプレゼンスの特徴となる集団、ネットワーク、制度、伝統を構築し、維持するだけには至らないのである。ウェールズ人は二〇世紀初頭のブリテン諸島で五%の人口しかおらず、ウェールズ人移民となるとオーストラリア、ニュージーランドでは一%以下で「どこでもまれにしかいない」がために、彼らの植民地へのインパクトは「個人の問題」にとどまるとの主張にもなる。(32)

一方、ウェールズ史からも、ウェールズ人の海外プレゼンス、すなわちウェールズから世界へ移動した人々の詳細を見分け、特定する困難があった。ウェールズ人がブリテン海外帝国の創設と拡大で果たした役割の検証、その反対方向の帝国からウェールズの経済、社会、文化に与えた影響の組織的な検証もきわめて限定されている。その理由は、まずスコットランド、アイルランドに比べ、ウェールズ史の専門の歴史家が少ないことである。ただ、歴史家の数の少なさのみが帝国の無視を説明するわけではなく、戦後の研究対象が一九，二〇世紀の労働者階級の社会、労働、政治の側面に偏っていたとの理由も大きい。

さらには、ウェールズをイングランドの植民地と見る傾向があった人々は、植民地化されたウェールズの人々がブリテンの帝国計画への積極的熱情的な参加者にもなり得たことを認めるにはためらいがあった。同じことはアイルランドとアイルランド人にも言えたが、アイルランド研究の歴史家（historians of Ireland）は植民地化と被植民地化の錯綜した関係をぎりぎりまで探求してきた一方で、ウェールズ人史家（Welsh historians）でこの挑戦を引き受けたものはいなかった。ウェールズ人の帝国への介入には(少なくとも部分的には)見て見ぬふりをしてきた。その結果、ウェールズが帝国の膨張によっていかにあるいはどれほど形成されてきたかについてはっきりとした視界を得るのは不可能となった。

労働者階級の研究に偏ったために、以下のような重要な人々の集団がウェールズ研究の主流から欠落していた。女性、都市の中流階級、あるカテゴリーの男性、すなわちビジネスマン、産業家、企業家、中流上流階級の冒険家、プランテーション経営者、商人、船長、軍将校、医者、行政官、ウェールズ人傭兵、略奪的な船員、歩兵、等々である。

これらによって、ウェールズ史は海外膨張から発する対外的な影響力に言及しないまま、概念化され説明されるテーマに適合する自己充足的内向きの傾向を持つに至った。言い換えると、ウェールズの歴史家たちがテーマを決めてきた方法自体のために、帝国がウェールズ史に完全に統合されないことになった。

(2) 植民者か被植民者か

「ウェールズと帝国」研究の欠如は、もう一つのニール・エヴァンズ論文[33]でも考察されている。ボーウェンと異なるのは、一八九〇年代にさかのぼってかなり長期的な視野からサーヴェイしていることである。もう一つは、一〇〇年近く、例外的な作品をのぞけばほぼなかった研究がにわかに活性化したのは、一九八〇年代からのさまざまな動き、たとえばブリテン史を帝国史と結びつけようとしたホプキンズ、リンダ・コリーとキャナダイン、キャサリン・ホールとキャサリン・ウィルソンなどの仕事、帝国史家のグローバリゼーションへの旅、ケインとホプキンズの「ジェントルマン資本主義」、ポストモダニズムの出現から影響を受けたとの指摘である。

研究の欠如の理由としての、ウェールズ人歴史家が帝国への介入には見て見ぬふりをしてきたこと、ウェールズ人が帝国主義者でなく被植民者としての意識を持っていたことは、ニール・エヴァンズも指摘している。帝国は多くのウェールズ人の自己イメージにはそぐわなかった。ウェールズ人は植民者というより被植民者と見なされるのを好んでいる、として、批評家のネッド・トマスが一九七一年に述べた、次の発言を引用している。

抑圧集団に所属するより被抑圧集団に所属している方が結局よい。ウェールズ人の帰属意識にはブリテン人の帰属意識にあるような軍国主義や帝国主義の傾向がないがために、私にとって好ましい。ブリテン帝国主義にかかわったウェールズ人の責任を問わないというわけではない。そうしたのはブリテン人として関わったわけで、ウェールズ人としてそうしたわけではない。ウェールズ語はそういった帝国主義の一部ではない。ウェールズ人は自分の国にいるウェールズ語の話者として、一種の帝国主義の犠牲者なのである。[34]

これは、帝国の他の部分でもよく見られる現象であり、たとえば、カナダ人は、自らが植民者なのか、被植民者なのか、自問し、そのいずれでもあるとの認識にいたる。すでに見たように、アイルランド人もそうだった。しかし、ウェールズの場合は、もっぱら被植民者であるとの意識が強く、帝国におけるウェールズ人の位置への持続した関心はなかった。これが、一般のウェールズとウェールズ人への一般的なイメージであり、これを認めつつも、ヘクターの「国内植民地主義」とは対照的なウィリアムズの「帝国的なサウスウェールズ（imperial South Wales）」コンセプト、[35]および一九八〇年代からの帝国史の活性化によって急速に「ウェールズと帝国」の研究が注目されるようになった、というのが一部ボーウェンとも共通するニール・エヴァンズの指摘である。

（3）四ネーションアプローチのウェールズへの適用

一八五〇年以後とくに一九世紀末と二〇世紀初頭に集中して、ウェールズと帝国の関連文献として、移民、布教の研究があり、「帝国的なサウスウェールズ」をコンセプトにして、ウェールズ世界とブリテン帝国を関連させる研究も出ている。そのために、ウェールズ史が完全に帝国から締め出されていると示唆するのはまちがいである。ただし、一八五〇年以前を対象とする研究はほぼなく、これがボーウェン編著が対象を一六五〇年から一八三〇年までにしている理由である。

この時期に特定して、ウェールズと帝国との関連を調査するには、ウェールズ自体の性質とともにウェールズがもっと広い政治的経済的枠組みにいかに適合していたかを考える必要がある。これは、ウェールズ経済と社会の構造が、帝国との関連の発展のしかたに、深い影響を与えたがために、さらにもっと大きくは、近年歴史家たちがブリテン帝国の歴史に対する四ネーションアプローチの採用を提唱しているがために必要となっているからである。ここでマッケンジーのブリテン帝国史への四ネーションアプローチが登場する。

ボーウェンはマッケンジーの言う「四つのネーションはそれぞれ帝国と異なる関係を結んでおり、それぞれの帰属意識は帝国的な経験によって破壊されるというより、開発され強化される」、さらに帝国の膨張はアイルランド人、イングランド人、スコットランド人、ウェールズ人を共通の海外事業に関わらせることによって、差異の解消に貢献したというより「それぞれの民族性のメンバーは帝国とその現地民とそれぞれ違った方法で相互交流した」との言葉[36]を引用して論を進めている。

ボーウェンにとって、このアプローチは、とくに「ブリテン人」の間に存在する異なる民族性と帰属意識の重要性を認めているがために、推挙すべき多くのものがある。しかし、一八世紀のウェールズとウェールズ人を引き入れるのはいくつかの理由でむずかしい。そのうちの一つは既述のように、スコットランドとアイルランドに関しては、イングランドとの意味ある比較、対照および相互（スコットランドとアイルランド）の比較、対照を可能とする研究文献が豊富にあり、長期間にわたってブリテンの海外活動に独自の文化的政治的軍事的社会的に貢献した「スコットランド帝国」「アイルランド帝国」の存在についての主張をめぐる議論が可能であるが、これも既述のように、ウェールズと帝国間の関係を探求する者は、きわめて少ない研究論文しかなく、しかもそのほとんどは一八五〇年以降しか扱っていない状況からの結論を強いられる。これは帝国の研究に対する四ネーションアプローチを完全に履行する妨げになる。

（4）ウェールズ「ネーション」の定義

これと同時に、「ネーション」に関して、スコットランド、アイルランドの場合には、はっきりした実体があるものとして形成されているのにたいし、ウェールズはそうではないがために、分析用語としての「ネーション」、ブリテン諸島を構成する組織としての「ネーション」が使えるかどうかの問題がある。

すなわち、「ウェールズ」の定義があり、「いつからウェールズか」、ウェールズは存在したのか、ウェールズとは何か、ウェールズはどこにあったのか、などがはっきりしていない。そこで、ボーウェンはとりあえずの定義として、一五四二―一八三〇年間に治安判事裁判所の法制下にあった一二の州(shire counties)からなる地理的領域で、隣人のイングランドと対照的な地域としてとくに対比されることのある、遠隔性、分離性、後進性を特徴とする異国（foreign country）と記述される地域としている。[37]

イングランドの批評家、風刺家は、ウェールズ人をユニークな性格をもつ人々と示唆しがちで、スコットランド、アイルランドの著述家も、ウェールズは自分たちと異なるケルト人と指摘したりする。しかし多くの点で、これらの外部からの見解は、現実には存在しない一様性をウェールズとウェールズ人に押しつけることになる。

ウェールズ自体が政治的単位（unity）となっていたわけでもなく、単一の経済的な実体として統合されていたわけでもなかったし、このことが近代的な意味での「ネーション」としての出現を妨げた。東西間の交通（イングランドの中枢ロンドンまでつながっていた）はあったものの物理的な障害によって南北間ウェールズの直接的な接触や相互交流の多くが妨げられていた。これは、スウォンジーの一九世紀後半における工業的港湾としての出現まで、ブリストルが南ウェールズの「メトロポリス」で、ヘリフォード、シュルーズベリー、チェスター、リヴァプールのすべてが中央ウェールズ、北ウェールズの人々に、経済社会文化的影響力を及ぼしていたことを意味していた。

この時期、ウェールズ人の帰属意識や国民意識（ナショナリティ）の出現は、ナショナルな組織や制度の創設によって促されていなかった。これが意味するのは、国境を越えた行政、政治、法制、宗教などの構造によって、ウェールズはより大きなイングランドの組織の枠組みに拘束され続けていたことである。その結果、「ネーション」としてのウェールズ人の想像は多くのウェールズ人の心の中にあったにしても、部分的にしか形成されていなかった。[38] クレイゴーによると、ウェールズ自体、ヴィクトリア中期になってはじめてブリテン政治の文脈に登場した。

これが意味するのはそれまでウェールズ人は「想像されていない国民（unimagined nation）」だったことである。

（5）「イングランドとウェールズ」収斂と分岐

ウェールズは、当時期には政治的行政的にイングランドに拘束されていたばかりか、経済的にも隣人にしだいに統合されていた。このことは帝国と国際経済との相互交流にも影響を及ぼす。ウェールズには、投資資本と金融会社が不足しており、イングランドからの資本投入に全面依存していた。港湾も不足しており、ウェールズからの輸出入はリヴァプール、コーク、ロンドンその他を通じて行われた。北アメリカ植民地、アフリカ、カリブ海での独自の拠点を持たず、スコットランド、アイルランドと比べてもウェールズ船舶はきわめて限定された航海しかできなかった。これによって、本書でクリス・エヴァンズ論文が立証するようなウェールズ、南アイルランド、南東イングランド間の関係――またウェールズの大西洋経済への取り組みのありようにも影響を及ぼすことになる関係――が形成された[39]。

また、ロンドンを通じて活動する独占的な東インド会社の存在は、ロンドンが東洋向けの船舶が出発する唯一の港であること、ウェールズ人の帝国との関わりはイングランドを通じた間接的でしかないことを意味した。こういった経済一般の状況は、帝国からウェールズに入ってくる人、モノ、富の流れが直接的ではないこと、国内にとどまるウェールズ人は海外膨張を支える過程からは引き離されているとの外観を強めた。

明確に定義されたウェールズ「ネーション」や自立的なウェールズ経済の欠如は、ウェールズと帝国の関係を探求する歴史家を意気阻喪させてしまうのか。いやそれとは反対に彼らに挑戦状を突きつける。ウェールズをつぶしてイングランドと一緒にしたり、分析単位として「イングランドとウェールズ」との言葉を使う統合主義的なアプローチ（四ネーションアプローチとは対照的）と呼ばれるものをとると進展性はない。これは怠慢で旧式の「ウェールズに関してはイングランドを見よ」式の、ウェールズをイングランドのジュニアパートナーとみる過去への態度にみちびくばかりか、文化経済政治社会の同化は完遂しているとの前提で研究を進めることにもなる。

イングランドとウェールズの関係はたしかに収斂もあるが分岐もあった。分岐とは、カーディフ、ニューポート、スウォンジーの港湾を通じて、世界との直接的な関係を形成した輸出産業経済の成熟とともに、ウェールズ「ネーション」の「再生」に導く過程である。

ウェールズと帝国の関係は諸刃の剣であり、一方で、海外膨張によりイングランド＝ウェールズ間関係が強化された。その理由はウェールズ人を汎ブリテン活動に組み込んだからであった。他方では、帝国の成長により、ウェールズの産業経済の発展が刺激され、もはやこれまでのイングランドの資源、支援、便宜に全面的に頼らずともよくなった。

この諸刃の剣を明らかにしたことこそボーウェン編論集の成果である。長い一八世紀の間の帝国との相互交流は、一方で、ウェールズとイングランドの差異をあいまいにし、他方では、一九、二〇世紀のウェールズに関する独自性、特徴性なるものの基盤の多くを直接的間接的に与えたのである。

3　帝国からネーションへ？

本章では、ブリテン国内史とブリテン帝国史をいかに架橋していくか、という筆者の従来からの問題関心から、この両者を架橋する上で有力な議論として出現してきたマッケンジーの「ブリテン帝国史への四ネーションアプローチ」論文に注目した。

まず国内史関連では、ポーコックのブリテン諸島史論文自体、もともとイングランド中心史観への挑戦であったし、アイルランド史、スコットランド史の研究もこれに応えるかのように進んできたこともここで確認できよう。日本においても、ブリテン諸島史の問題意識は高まっているとは言え、いまだイングランド中心主義は強固であり、たとえば「ブリテン」「ブリテッシュ」と「イングランド」「イングリッシュ」がほぼ交換可能の用語として使われ続けているなど、基本的な用語法からして、いまだ不十分としか言えない状況にある。

ブリテン諸島史論議からスコットランド史、アイルランド史が盛んになったといっても、あくまで国内にとどまっているだけで、帝国に視点を広げないままでは、「四つのネーションの相互作用を考察する最良の方法の一つは帝国というプリズムを通すことです」とのマッケンジーの提言は生きてこない。

ブリテン諸島史にとっては、連合王国が建設された際の緩やかさ、その内部に抱えられていた多くの弱点が浮上し、しかもこの弱点はしばしば帝国期には隠されていたことが鋭く指摘されている、と言えよう。言い換えると、帝国が解体され、スコットランド、ウェールズなどへの権限委譲が実現すると、ブリテン諸島史の緩やかさや隠されていた弱点の歴史的考察が可能となっている。帝国の視点を入れてブリテン諸島史を見直す重要性の指摘となろう。

次に帝国史関連では、「アイルランドの帝国」や「スコットランドの帝国」の研究は進んでいるものの「ウェールズと帝国」論は、それほど進んでいない。その理由の一つは、ウェールズ人といえば、もっぱら搾取された側の人々、犠牲者と認識するばかりで、帝国主義者と想定するのもかつてはむずかしかったとしか言いようがないことである。いまはそのような研究状況ではなく、カナダ人、あるいはアイルランド人のように、被植民者にとどまらず植民者でもあった、おそらくその両方であることを、ぎりぎりまで問われなければならないようである。哀れなウェールズ人ですらしたたかな帝国主義者であったのかを切実に問い続ける必要がある。「イングランドの帝国」の偏在性と曖昧性を自覚することからの出発もこれからの大きな課題となる。それは、これまでのブリテン帝国史との差別化を通じて行われよう。ブリテン帝国史への四ネーションアプローチの成功はスコットランド、アイルランドなどの帝国よりもむしろこのイングランドの帝国への適用の可否が鍵を握っているとも言える。

「ネーションから帝国へ」と「帝国からネーションへ」の二方向のうち、マッケンジーが力説するのは後者の「帝国からネーションへ」の方向である。ブリテン帝国を通じた明確な民族的活動は本国の四つのネーションにどれだけ戻ってきたか。スコットランド人は、ニュージーランド、オーストラリア、カナダ、南アフリカその他での活動で機会をつかんだことばかりか、それを成し遂げたスコットランド人であるとつねに自己認識していた。これは、イングランド人はいうに及ばず、ウェールズ人やアイルランド人にもあてはまる。帝国の経験は、ウェールズ、アイルランド、スコットランドの近代的な帰属意識の重要な側面となっている。これらは帝国からブリテン諸島への方向性の方は決定的に欠如しているとの主張でもあり、これからの研究にとって傾聴に値する。

註

はじめに

（1）ここでのラグビーの情報はラグビーワールドカップの公式サイト http://www.rugbyworldcup.com/、ライオンズのサイト http://www.lionsrugby.com/。また、サッカーについては、サッカーワールドカップのこれまでの各国の成績は http://www.fifa.com/fifa-tournaments/archive/worldcup/index.html、中村俊輔についてはそのオフィシャルウェブサイト http://shunsuke.com/などを参照。（最終閲覧日はいずれも、二〇一五年一一月二六日）

（2）「W杯に出ているイングランドって?」『朝日新聞』二〇〇六年六月二三日。

（3）リンダ・コリー『イギリス国民の誕生』川北稔監訳、名古屋大学出版会、二〇〇〇年、一七一頁、一部訳文変更。

（4）前掲訳書、三九一頁、傍点原文、一部訳文変更。

（5）ノーマン・デイヴィス『アイルズ——西の島の歴史』別宮貞徳訳、共同通信社、二〇〇六年、一二三二頁。

（6）「英国旗、二〇〇年ぶりに変更も、ウェールズの赤い竜をデザインに」二〇〇七年一一月二九日七時一分配信、時事通信：http://www.telegraph.co.uk/news/newstopics/politics/1570613/Union-Jack-should-include-Welsh-flag-says-MP.html（最終閲覧日二〇〇九年九月二八日）

（7）http://en.wikipedia.org/wiki/Flag_of_Wales:（最終閲覧日二〇〇九年九月二八日）

（8）以心崇傳『異國日記』（寛永ごろ）、所収、川澄哲夫編『英学ことはじめ』（資料日本英学史、一、上）、大修館書店、一九八八年、五九、七三—七四頁。

（9）竹村覚「我國に於ける英國國号」所収、竹村覚『日本英学発達史』研究社、一九三三年。

（10）川北稔『イギリス近代史講義』講談社（講談社現代新書）二〇一〇年、一四一—一四二頁。国立情報学研究所の総合目録データベースWWW検索サービス webcat で検索すると、一九〇〇年から一九一七年の明治から大正期にかけて「大英国」を題名とした本が五冊ヒットした。さらに国立国会図書館の「近代デジタルライブラリー」（一八七〇年から一九四九年まで発行された日本語文献）で「大英国」を簡易検索すると八六件ヒット（目次に使われているもの）した。（最終閲覧日二〇一五年一一月一六日）

（11）デイヴィス、前掲訳書、訳者あとがき、一二四二頁。

（12）平田雅博「英語のグローバルヒストリー構想――アンダーソン「想像の共同体」再読から」『青山史学』第三〇号、二〇一二年。

第一章

（1）原聖「カムリー（ウェールズ）――最強の言語に対抗する最強の少数言語」所収、原聖、庄司博史編『ヨーロッパ』綾部恒雄監修『講座　世界の先住民族：ファースト・ピープルズの現在』明石書店、二〇〇五年、一〇七―一一二頁。

（2）「リズラン法」松村赳、富田虎男編『英米史辞典』研究社、二〇〇〇年、六三五―六三六頁。

（3）項目「連合」、前掲『英米史辞典』七七四頁。

（4）以下、Gwyneth Tyson Roberts, *The Language of Blue Books: The Perfect Instrument of Empire*, Cardiff: University of Wales Press, 1998, pp. 12-19.

（5）Janet Davies, *The Welsh Language, Pocket Guide*, Cardiff: University of Wales Press, 1999, rep. 2005, p. 22.

（6）プリス・モルガン「死から展望へ――ロマン主義時代におけるウェールズ的過去の探求」、所収、E・ホブズボウム、T・レンジャー編『創られた伝統』前川啓治ほか訳、紀伊國屋書店、一九九二年、一三六頁。

（7）以上、モルガン、前掲訳書、一一七、一二六頁。

（8）マーティン・バナール『黒いアテナ――古代文明のアフロ・アジア的ルーツ』金井和子訳、藤原書店、二〇〇四年。

（9）Dot Jones, *Statistical Evidence relating to the Welsh Language 1801-1911*, Cardiff: University of Wales Press, 1998, p. 17.

（10）Dot Jones, op. cit., p. 356.

（11）項目「有志立学校」「イギリス学校」「国民学校」「ジョーゼフ・ランカスター」、前掲『英米史辞典』九五―九六、四〇六―四〇七、五〇五、七八九頁。

（12）Dot Jones, op. cit., p. 425.

（13）Dot Jones, op. cit., p. 356.

（14）Dot Jones, op. cit., p. 364.

（15）以上、Roberts, op. cit., pp. 25-30.

（16）以上、Roberts, op. cit., pp. 34-42.

（17）Geraint H. Jenkins, *The Making of Modern Wales: Discovering Welsh History*, Book 3, Oxford: Oxford University Press, 1989, pp. 86-89, 90-91, 92-95.

(18) *British Parliamentary Papers, Report of the Commissioners of Inquiry for South Wales*, XVI, 1844, p. 36.
(19) D. Gareth Evans, *A History of Wales 1815-1906*, Cardiff: University of Wales Press, 1989, p. 124.
(20) *Hansard's Parliamentary Debates*, XXIV, 1846, p. 846.
(21) 以上、Roberts, op. cit., pp. 19-24.

第二章

(1) *Reports of the Commissioners on the State of Education in Wales, with appendix* (Part I), 1847, Shannon: Irish University Press, 1969; *Reports of the Commissioners on the State of Education in Wales, with appendices*, (Part II and Part III), 1847, Shannon: Irish University Press, 1969. 本報告書は、地域ごとに三部に分かれ、第一部が一冊に収容され、第二部と第三部がもう一冊に収容され、合計二冊となっている。以下本書を通じて、この報告書からの Part と引用頁は、たとえば I, 23-24 と表記する。Appendix 部分からの引用は App. と示す。
(2) Lingen と Symonds は *Dictionary of National Bibliography on CD-ROM*, 1995, に掲載されている; Roberts, op. cit., pp. 92, 225-226; Gareth Elwyn Jones, 'The Welsh Language in the Blue Books of 1847', in Geraint H. Jenkins, ed., *The Welsh Language and its Social Domains 1801-1911*, Cardiff: University of Wales Press, 2000, p. 435.
(3) I, iv.
(4) Roberts, op. cit., p. 213.
(5) I, 271.
(6) III, App., 95-96, 97, 110.
(7) Roberts, op. cit., pp. 100-102.
(8) III, App., 75.
(9) Roberts, op. cit., pp. 103-104.
(10) II, 33.
(11) II, 169.
(12) III, App., 59-60.
(13) III, 19.

（14）Jenkins, op. cit., pp. 34-35; Roberts, op. cit., p. 219.
（15）中村敬「ウェールズにおける言語侵略」『英語はどんな言語か——英語の社会的特性』三省堂、一九八九年。
（16）吉賀憲夫『旅人のウェールズ——旅行記でたどる歴史と文化と人』晃学出版、二〇〇四年、二五九頁。
（17）田中克彦『ことばと国家』岩波書店〔岩波新書〕、一九八一年、一一八頁。
（18）近藤健一郎「近代沖縄における方言札の出現」所収、近藤健一郎編『方言札——ことばと身体』社会評論社、二〇〇八年、四七頁：沖縄歴史教育研究会新城俊昭『高等学校琉球・沖縄史』東洋企画、二〇〇一年、二一〇頁。
（19）宮脇弘幸「言語政策——規範言語の普及と『言語罰』」『台湾教育史研究』49期、二〇〇七年三月、http://www.ith.sinica.edu.tw/pdf/eduhis49.pdf. 9（最終閲覧日二〇〇九年九月九日）
（20）Roberts, op. cit., p. 33.
（21）グギ・ワ・ジオンゴ『精神の非植民地化』宮本正興、楠瀬佳子訳、第三書館、一九八七年、三〇頁。
（22）伊藤泰信『先住民の知識人類学——ニュージーランド＝マオリの知と社会に関するエスノグラフィ』世界思想社、二〇〇七年、八〇—八一頁。
（23）III, App., 59-60.
（24）III, App., 46.
（25）III, App., 321.
（26）I, 33.
（27）III, 12-16.
（28）III, 54.
（29）III, App., 84.
（30）平田雅博『内なる帝国・内なる他者——在英黒人の歴史』晃洋書房、二〇〇四年、三八—三九頁。
（31）ピーター・バーク『近世ヨーロッパの言語と社会』原聖訳、岩波書店、二〇〇九年、五四頁。
（32）I, 260.
（33）III, App., 70-71.
（34）I, 249.
（35）III, 27; App., 64.

（36）III, 146.
（37）III, 135.
（38）III, App., 162.
（39）III, App., 38.
（40）III, p. 67.
（41）III, 20, 150.
（42）Roberts, op. cit., p. 117.
（43）ミシェル・フーコー『監獄の誕生――監視と処罰』田村俶訳、新潮社、一九七七年。
（44）Alastair Pennycook, 'English in the World/the World in English' in James W. Tollefson, ed., *Power and Inequality in Language Education*, Cambridge [England]; New York: Cambridge University Press, 1995, p. 49; Marnie Holborow, *The Politics of English: A Marxist View of Language*, New York: Sage Publications, 1999, p. 82.
（45）Alastair Pennycook, *The Cultural Politics of English as an International Language*, Harlow, Essex: Longman Group, 1994, p. 98.
（46）Pennycook, op. cit., 1995, p. 49; D・アーミテイジ『独立宣言の世界史』平田雅博・岩井淳・菅原秀二・細川道久訳、ミネルヴァ書房、二〇一二年、一〇頁。
（47）II, 148, 171-172.
（48）Roberts, op. cit., pp. 97-98, 98, n.
（49）III, 19.
（50）III, 16-17.
（51）III, App., 55, 92.
（52）III, App., 78.
（53）II, 18.
（54）I, 31-32.
（55）III, 35-39.
（56）I, 243-244.
（57）I, 247.

（58）III, 39-47.
（59）II, 34.
（60）I, 281.
（61）I, 353.
（62）I, 432.
（63）II, 149.
（64）II, 160.
（65）II, 164.
（66）I, 457.
（67）I, 323.
（68）II, 129.
（69）I, 368.
（70）I, 303-305.
（71）III. App., 76.
（72）I, 344.
（73）II, 16.
（74）III, App., 86-87.
（75）III, App., 53.
（76）III, 11.
（77）III, 27; III, App., 37.
（78）III, 27; III, App., 78; 152-153.
（79）III, 27.
（80）III, 5.
（81）III, App., 78.
（82）III, App., 158.

（83） III, App., 34-35; データはIII, 182-185.
（84） *Speeches by Lord Macaulay: with his Minute on Indian education*, selected with an introduction and notes by G. M. Young, London: Oxford University Press, 1935, p. 359.

第三章

（1） Roberts, op. cit., pp. 186-191.
（2） II, 64.
（3） III, 8, 59, 67.
（4） Gareth Elwyn Jones, op. cit., p. 452.
（5） I, 2-3.
（6） I, iv.
（7） II, 34.
（8） III, 25.
（9） III, App., 100.
（10） I, 7.
（11） III, 8.
（12） II, 25.
（13） III, 61-62.
（14） III, 59.
（15） III, 63.
（16） Gareth Elwyn Jones, op. cit., pp. 442-443.
（17） III, 17-20, 22.
（18） III, 38.
（19） I, 6-7.
（20） I, 7.

(21) I, 7.
(22) II, 33.
(23) II, 66.
(24) II, App., 90.
(25) Roberts, op. cit., p. 203.
(26) II, 66-68.
(27) I, 216: 助手モリス。
(28) A・H・ドッド『ウェールズの歴史——先史時代から現在までのウェールズの生活と文化』吉賀憲夫訳、京都修学社、二〇〇〇年、一三八頁。
(29) II, 147.
(30) I, 5: Rev. David Rees of Llanellyの証言。
(31) III, 8, 59, 67.
(32) 松田徳一郎監修『リーダーズ・プラス』研究社、二〇〇〇年。
(33) Welsh Academy, *Encyclopaedia of Wales*, Cardiff: University of Wales Press, 2008, p. 97.
(34) I, 254.
(35) II, 56-57.
(36) II, 21, 57.
(37) I, 21.
(38) III, 67.
(39) III, 67-68.
(40) III, 67.
(41) I, 223.
(42) II, 3-6.
(43) Roberts, op. cit., p. 96.
(44) Roberts, op. cit., pp. 164-165.

(45) II, 56-57.
(46) II, 62.
(47) Roberts, op. cit., pp. 182-183.
(48) II, 275.
(49) I, 6; Roberts, op. cit., pp. 183-184.
(50) II, 58.
(51) Roberts, op. cit., p. 133.
(52) 以上の引用は順に以下の通り。 III, App., 52; III, App., 133; II, 162; II, 45, 281, 239; I, 272, 393; I, 237.
(53) II, 135-136.
(54) II, 282, 286.
(55) II, 42.
(56) I, 367.
(57) *Oxford English Dictionary on CD*, 2nd ed. Oxford University Press, 1996; Roberts, op. cit., p. 147, n.
(58) I, 304.
(59) III, 75.
(60) I, 349; Roberts, op. cit., p. 140.
(61) III, 464-5, III, App., 30-31; Roberts, op. cit., pp. 142-144.
(62) Michael Hechter, *Internal Colonialism: The Celtic Fringe in British National Development, 1536-1966*, Berkeley: University of California Press, 1975, p. 75.
(63) Roberts, pp. 78, 88, 99, 134, 181.
(64) I, 439.
(65) Alan R. Thomas, 'English in Wales', in Robert Burchfield, ed., *The Cambridge History of the English Language, Vol. V, English in Britain and Overseas Origins and Development*, Cambridge: Cambridge University Press, 1994, p. 104.
(66) Dick Leith, *A Social History of English*, London and New York: Routledge, 1983, Second edition, 1997, p. 175.
(67) *Encyclopaedia of Wales*, op. cit., p. 659.

(68) Roberts, op. cit., p. 99.

第四章

(1) *Memorials from Llanfair Caerenion, Castle Caereinion, Manafon, in the County of Montgomery, Respecting the Want of Education in Those Parishes*, in III, App., 337-358.

(2) III, App., 338.

(3) Sir Reginald Coupland, *Welsh and Scottish Nationalism: A Study*, London: Collins, 1954, p. 186.

(4) I, 285.

(5) III, 34.

(6) I, 31, 32, App., 215, 219, 230.

(7) III, 22.

(8) I, 6.

(9) I, App., 285.

(10) Roberts, op. cit., p. 213.

(11) Jane Williams (Ysgafell), *Artegall; or, Remarks on the Reports of the Commissioners of Enquiry into the State of Education in Wales*, 1848, pp. 6-7, 21-23. 以下に引用。Roberts, op. cit., pp. 211-212.

(12) II, 80: Evans 発言。

(13) *Times*, Tuesday Dec. 26, 1848; The Sun, Jan. 22, 1851; Dec. 30, 1851.

(14) Evan Jones (Ieuan Gwynedd), *Facts, Figures and Statements in Illustration of the Dissent and Morality of Wales*, 1849, p. 31, 33, 35-37. 以下に引用。Roberts, op. cit., pp. 213-214.

(15) Sir Thomas Phillips, *Wales: the Language, Social Conditions, Moral Character and Religious Opinionsof the People considered in their relation to Education*, 1849. 以下に引用。Roberts, op. cit., pp. 212-213.

(16) Hugh Hughes, *Pictures for the Millions of Wales*, 1848. 以下に引用。Roberts, op. cit., p. 213.

(17) 森野聡子、森野和弥『ピクチャレスク・ウェールズの創造と変容——一九世紀のウェールズの観光言説と詩に表象される民族的イメージの考察』青山社、二〇〇七年、一七一—一七三頁。

(18) Roberts, op. cit., pp. 215-216.
(19) モルガン、前掲訳書、一四三頁。
(20) John Davies, *A History of Wales*, Harmondswarth: Penguin, 1990, pp. 390-391.
(21) Aberdare Times, 14 November 1868. 以下に引用。Roberts, op. cit., p. 218.
(22) 森野、前掲書、二二二頁。
(23) Roberts, op. cit., pp. 223-226; R. Aldridge and P.Gordon, *Dictionary of British Educationists*, London: Woburn Press, 1989, p. 150.
(24) Roberts, op. cit., pp. 227-229.
(25) Gwyn A. Williams, *When Was Wales?*, London: Penguin, 1985, p. 208.
(26) Glyn Williams, 'The Ideological Basis of Nationalism in Nineteeeth Century Wales', in Glyn Williams ed., *Crises of Economy and Ideology: Essays on Welsh Society, 1840-1980*, Bangor: SSR/BSC Sociology of Wales Study Group, p. 181; Roberts, op. cit., p. 237.
(27) Kenneth O. Morgan, *Wales 1880-1980: Rebirth of a Nation*, Oxford: Oxford University Press and University of Wales Press, 1982, p. 23.
(28) ジオンゴ、前掲訳書、一四頁。
(29) Dot Jones, op. cit., p. 225.
(30) 原、前掲論文、一一四―一一九頁。原聖「ケルト諸語文化の復興、その文化的多様性の意義を探る」『ケルト諸語文化の復興』女子美術大学、二〇一二年、二七―二八頁。
(31) I, 428.
(32) I, 272.
(33) III, App., 3-4, 67, 186-189.
(34) 松山明子「ウェールズにおける英語の普及――国家語の拡大と教育言語政策」所収、田中克彦ほか編『言語・国家、そして権力』新世社、一九九七年、二六三頁。
(35) 船橋洋一『あえて英語公用語論』文藝春秋〔文春新書〕、二〇〇〇年、一一四頁。
(36) 本多勝一『「英語」という〝差別〟「原発」という〝差別〟』金曜日、二〇一一年、一三頁。

(37) Roberts, op. cit., p. 237.

第五章

(1) *Speeches by Lord Macaulay: with his Minute on Indian education*, op. cit.

(2) ビバン・チャンドラ『近代インドの歴史』粟屋利江訳、山川出版社、二〇〇一年、二三一―二三四頁。

(3) *Speeches by Lord Macaulay*, op. cit., p. 350, 359.

(4) I, p. 2, 3, 7.

(5) Coupland, op. cit., p. 190; Hechter, op. cit., p. 75.

(6) 以上、*Speeches by Lord Macaulay*, op. cit., pp. 348-350, 359.

(7) Roberts, op. cit., pp. 47-50.

(8) David Washbrook "'To each a language of his own": language, culture and society in colonial India', in Penelope J. Corfield, ed., *Language, History and Class*, Oxford: Blackwell, 1991, pp. 182-183.

(9) バーク、前掲訳書、一一〇―一一一頁。

(10) Roberts, op. cit., pp. 57-58.

(11) J. Kay Shuttleworth, 'Brief Practical Suggestions...', Jan. 6th 1847 in A. E. du Toit, 'The Earliest British Document for the Coloured Races', *Communications of the University of South Africa*, C34, Pretoria, 1962; Roberts, op. cit., pp. 76-77; To C. O., 6 Jan. 1847, C. O. 318/170, National Archives, Kew; Eric Ashby, *Universities: British, Indian, African: A Study in the Ecology of Higher Education*, London: Weidenfeld and Nicolson, 1966, p. 150, note, 414.

(12) Kay Shuttleworth, op. cit., pp. 27-28.

(13) Kay Shuttleworth, op. cit., p. 34.

(14) Kay Shuttleworth, op. cit., p. 28, 35, 38.

(15) Kay Shuttleworth, op. cit., p. 29.

(16) Ashby, op. cit., p. 150; 16 Jan. and 8 Feb. 1847, CO 854/3, National Archives, Kew.

(17) Toit, op. cit., p. 14, 24.

(18) I, 6.

（19）Roberts, pp. 106-111.
（20）I, 28.
（21）II, 98.
（22）I, 28.
（23）II, 43.
（24）I, 239.
（25）III, 61, 101.
（26）I, 333.
（27）III, 133.
（28）I, 333.
（29）I, 352, 395.
（30）III, App., 227-228.
（31）I, 412.
（32）I, 368.
（33）I, 322.
（34）I, 306.
（35）I, 275.
（36）I, 213.
（37）I, 281.
（38）I, 283.
（39）I, 45.
（40）I, 468, 470.
（41）I, 268.
（42）II, 170.
（43）II, 161.

（44）II, 174-175.
（45）II, 164.
（46）II, 147-148; 157-158; 167-168.
（47）I, 253.
（48）I, 311.
（49）I, 353.
（50）I, 322.
（51）本節は以下の論文をもとに執筆した。Robert Owen Jones, 'The Welsh Language in Patagonia', in Geraint H. Jenkins, ed., *Language and Community in the Nineteeth Century*, Cardiff: University of Wales Press, 1998. pp. [287]-316. ウェールズ人のパタゴニア移民研究のスタンダードとなっているのは以下の著作である。Glyn Williams, *The Desert and the Dream : A Study of Welsh Colonization in Chubut, 1865-1915*, Cardiff: University of Wales Press, 1975; Glyn Williams, *The Welsh in Patagonia : the State and the Ethnic Community*, Cardiff: University of Wales Press, 1991.
（52）Roberts, p. 219.
（53）*Encyclopaedia of Wales*, op. cit., pp. 622-624, 654; Jenkins, op. cit., pp. 26-27.
（54）Aled Jones and Bill Jones, 'The Welsh World and the British Empire, c. 1851-1939: An Exploration', *Journal of Imperial and Commonwealth History*, Vol. xxx1, no. 2, May 2003, p. 58.
（55）平田雅博『イギリス帝国と世界システム』晃洋書房、二〇〇〇年、第五章。

第六章

（1）平田雅博、時評「スコットランド独立住民投票に寄せて」『メトロポリタン史学』第一〇号、二〇一四年。
（2）ジョン・M・マッケンジー「四つのネーション――イングランド、アイルランド、スコットランド、ウェールズとブリテン帝国」平田雅博訳、青山学院大学文学部『紀要』第五六号、二〇一五年、九頁。
（3）John M. MacKenzie, 'Irish, Scottish, Welsh and English Worlds? The Historiography of a Four Nations Approach to the History of the British Empire', in Catherine Hall and Keith McClelland eds., *Race, Nation and Empire: Making Histories, 1750 to the Present*, Manchester: Manchester University Press, 2010, pp. 133-153. また以下の講演ペーパーも参照。John M.

MacKenzie, 'The Four Nations: Wales and the British Empire in Context', Swansea, 2012.
（4）コリー、前掲訳書。
（5）Cherry Leonardi, 'The Power of Culture and the Culture of Power: John MacKenzie and the Study of Imperialism', Andrew S. Thompson, ed., *Writing Imperial Histories*, Manchester: Manchester University Press, 2013, p. 52.
（6）J. G. A. Pocock, 'British History : A Plea for a New Subject, '1973/1974, in J. G. A. Pocock, *The Discovery of Islands : Essays in British History*, Cambridge: Cambridge University Press, 2005（邦訳、ポーコック「ブリテン史、新しい主題に向けての弁明」所収『島々の発見』犬塚元監訳、名古屋大学出版会、二〇一三年、三〇―五六頁）.
（7）マッケンジー、前掲論文、七頁。
（8）Hugh Kearney, *The British Isles: A Histoy of Four Nations*, Cambridge: Cambridge University Press, 1989; Frank Welsh, *The Four Nations : a History of the United Kingdom*, New Haven: Yale University Press, 2003.
（9）John M. MacKenzie, 'Empire and National Identities: The Case of Scotland', *Transactions of the Royal Historical Society*, 6th ser., 8, 1998, p. 231.
（10）マッケンジー、前掲論文、三四―三五頁。
（11）マッケンジー、前掲論文、三八頁。
（12）Hechter, op. cit.
（13）Tom Nairn, *The Break-Up of Britain: Crisis and Neo-Nationalism*, London: NLB, 1977; Raymond Crotty, *Ireland in Crisis*, Dingle, Co. Kerry, Ireland: Brandon, 1986.
（14）MacKenzie, 'Irish, Scottish, Welsh and English Worlds?', op. cit., p. 140.
（15）David Armitage, *The Ideological Origins of the British Empire*, Cambridge: Cambridge University Press, 2000, p. 63, n. 8（邦訳、アーミテイジ『帝国の誕生――ブリテン帝国のイデオロギー的起源』平田雅博・岩井淳・大西晴樹・井藤早織訳、日本経済評論社、二〇〇五年）.
（16）マッケンジー、前掲論文、三七―三八頁。
（17）たとえば、Michael Fry, *The Scottish Empire*, Tuckwell Press, East Lothian, Edinburgh: Birlinn, 2001; T. M. Devine, *Scotland's Empire, 1600-1815*, London: Allen Lane, 2003.
（18）Arthur Herman, *The Scottish Enlightenment: the Scots' Invention of the Modern World*, London: Harper Perennial, 2006（邦

訳、アーサー・ハーマン『近代を創ったスコットランド人――啓蒙思想のグローバルな展開』守田道夫訳、昭和堂、二〇一二年).

(19) たとえば、John M. MacKenzie, *The Scots in South Africa: Ethnicity, Identity, Gender and Race, 1772-1914*, Manchester: Manchester University Press, 2007; Angela McCarthy, ed., *A Global Clan: Scottish Migrant Networks and Identities since the Eighteenth Century*, London: Tauris Academic Studies, 2006.

(20) George Elder Davie, *The Democratic Intellect: Scotland and her Universities in the Nineteenth Century*, Edinburgh: [Edinburgh] University Press, 1961, 2nd ed. 1964.

(21) Aled Jones and Bill Jones, op. cit., pp. 57-81.

(22) Andrew J. May, *Welsh Missionaries and British Imperialism: The Empire of Clouds in North-East India*, Manchester: Manchester University Press, 2012.

(23) 平田雅博「英語が必修だった小学生――イングランドの隣人ウェールズ」『「ヨーロピアン・グローバリゼーションと諸文化圏の変容」研究プロジェクト報告書』Ⅲ、東北学院大学オープン・リサーチ・センター、二〇一〇年。

(24) Aled Jones, 'Welsh Missionary Journalism in India, 1880-1947' in Julie F. Codell (ed.), *Imperial Co-Histories: National Identities and the British and Colonial Press*, Madison: Fairleigh Dickinson University Press, 2003, pp. 242-272.

(25) H. V. Bowen, 'Introduction', in H. V. Bowen, ed., *Wales and the British Overseas Empire: Interactions and Influences, 1650-1830*, Manchester: Manchester University Press, 2011, pp. 1-14.

(26) *The Oxford history of the British Empire*, 5 vols; Editor-in-chief, Wm. Roger Louis, Oxford: Oxford University Press, 1998-1999.

(27) Bernard Porter, *The Absented-Minded Imperialists: Empire, Society, and Culture in Britain*, Oxford: Oxford University Press, 2004; Andrew Thompson, *The Empire Strikes Back?: The Impact of Imperialism on Britain from the Mid-Nineteenth Century*, Harlow: Pearson Education Limited, 2005.

(28) Kathleen Wilson, *A New Imperial History: Culture, Identity, and Modernity in Britain and the Empire, 1660-1840*, Cambridge: Cambridge University Press, 2004.

(29) アーミテイジ、前掲訳書、六一頁。

(30) スコットランド関連では前掲の Fry, Devine、アイルランド関係では以下がある。Keith Jeffery, ed., An Irish Empire? : Aspects of Ireland and the British Empire, Manchester: Manchester University Press, 1996.

(31) Kevin Kenny, ed., *Ireland and the British Empire*, Oxford: Oxford University Press, 2004; John M. MacKenziea and T. M. Devine, *Scodland's Empire, 1600-1815*, Oxford: Oxford University Press, 2011. これらは以下のように『オックスフォード・ブリテン帝国史』全五巻刊行後にその追加巻として出版された。*The Oxford history of the British Empire, Companion series*, 2004-.

(32) P. J. Marshall, ed., *The Cambridge Illustrated History of the British Empire*, Cambridge: Cambridge University Press, 1996, p. 265.

(34) Neil Evans, 'Writing Wales into the Empire: Rhetoric, Fragments-and beyond?', in H. V. Bowen, ed., op. cit.

(34) 以下に引用。Neil Evans, op. cit., p. 15. 引用元は以下である。Ned Thomas, *The Welsh Extremist: a Culture in Crisis*, Gollancz, 1971, p. 33.

(35) Gwyn Alf Williams, *The Welsh in their History*, London, Croom Helm, 1982, pp. 171-187.

(36) John M. MacKenzie, 'Irish, Scottish, Welsh and English Worlds? The Historiography of a Four Nations Approach to the History of the British Empire', *History Compass*, 6, 2008, abstract, p. 1244.

(37) Roberts, op. cit., pp. 9-24; 本書、第1章、参照。

(38) Mattew Cragoe, *Culture, Politics, and National Identity in Wales, 1832-1886*, Oxford: Oxford University Press, 2004, p. 2.

(39) Chris Evans, 'Wales, Munster and the English South West: Contrasting Articulations with the Atlantic World', in H. V. Bowen, ed., op. cit.

あとがき

本書の各章は書き下ろしもあるが左記の論文を基盤としている。いずれも大幅な加筆や削除をしている。

序章　書き下ろし
第一章「ウェールズ・隣人にして異国——一八四七年報告書に至る道」『松山大学論集』第二一巻、第四号、二〇一〇年、に加筆。
第二章「帝国のような地域——ウェールズにおける英語帝国主義」『近代ヨーロッパを読み解く』第一章、ミネルヴァ書房、二〇〇八年、に大幅加筆。
第三章「ウェールズとイングランド」『メトロポリタン史学』第六号、二〇一〇年、に加筆。
第四章「英語が必修だった小学生——イングランドの隣人ウェールズ」『「ヨーロピアン・グローバリゼーションと諸文化圏の変容」研究プロジェクト報告書』Ⅲ、東北学院大学オープン・リサーチ・センター、二〇一〇年、を大幅削除し大幅加筆。
第五章　書き下ろし
第六章「ブリテン帝国への四ネーションアプローチ——研究視角と研究動向」青山学院大学文学部『紀要』第五五号、二〇一四年、を訂正の上、加筆。

本書のルーツとなるのは、共同研究（二〇〇三—二〇〇五年度、日本学術振興会科学研究費補助金基盤研究（B）「西洋近代における帝国・国民国家・地域」研究代表、伊藤定良）の成果となった刊行本（伊藤定良・平田雅博編著『近代ヨーロッパを読み解く――帝国・国民国家・地域』第一章、ミネルヴァ書房、二〇〇八年）に掲載された拙稿「帝国のような地域――ウェールズにおける英語帝国主義」である。

その後、このままこのテーマは終わらせて、次なる新たなテーマへ移行しようと思っていたが、Gwyneth Tyson Roberts, *The Language of Blue Books: The Perfect Instrument of Empire*, Cardiff: University of Wales Press, 1998の存在を知るに至った。タイトルをそのまま訳すと『青書の言語――帝国の完全なる道具』となるこの本は分析対象とする史料が同一だったばかりか、分析視角や問題関心も筆者と重なっていた。一〇年も前に出ていたこのような本の存在を知らないままに論文を書いたことを悔いるともに、著者の史料の読み込みの深さや分析の鋭さに脱帽した。

そこで、この本を読みこなして自家薬籠中の物として、もう一度史料の読解に挑戦することにした。ロバーツを「乗り越えるために」とまでいかなくとも少なくともこれとの「差異化を図るため」には、まずは、著者のロバーツ自身が言語問題に集中するために考察からあらかじめはずしたとことわっている「統計」や「利害団体」を取り込むことにした。「利害団体」は宗教団体とそれらと連携した教育団体であり、「統計」は言語問題以外のさまざまな史実を伝えるために重要と判断して、大幅に取り入れようとした。あとロバーツが言及していない、この史料に所収されながらも全体の趣旨には反旗を翻した教区報告書＝いわば「獅子身中の虫」にも触れてみようとした。

もちろんこれだけでは、いくつかの差異を示すことにはなっても乗り越えることにはならない。そこで新たな分析視角として、筆者が取り上げたのは「帝国」である。ロバーツの本のサブタイトルは、ネブリーハ著『カステーリャ語文法』、一四九二年、がスペイン女王に献上された際に「これが何の役に立つのか」と質問する女王に側近が「陛下、言語は帝国の完全なる道具なのです」と答えた言葉からとっている。しかし、ロバーツの本がこれを踏まえて「帝国」との関連から分析している箇所はそれほどあるとは思えなかった。またイングランドによるウェールズの支配はたえず「帝国」の隠喩として語られているものの、当時の「帝国」と関連させた分析は少ない。そこで、筆者は「帝国」を全面的に意識してこの史料を再読するとともに、隠喩にとどまらず、ロバーツが行っていない現実の「帝国」（非公式帝国のパタゴニアを含む）を取り込むことに活路を見出そうとした。

こういった見通しのもとで研究を進め、本書ができあがるまでにお世話になった方々を記す。まず、ウェールズと「帝国」を比較する契機となったのは、東北学院大学の渡辺昭一氏から声をかけていただいた研究プロジェクト（二〇〇八―二〇一二年度、東北学院大学ヨーロッパ文化研究所プロジェクト「ヨーロピアン・グローバリゼーションと諸文化圏の変容」東北学院大学オープン・リサーチ・センター事業）である。筆者は客員研究員として参加し、研究課題「イギリス帝国の諸相に関する研究」の部門に入った。本書の第四章は当プロジェクトの公開シンポジウムの一つでの講演をもとにしている。また、このプロジェクトの成果の一つである渡辺昭一編『ヨーロピアン・グローバリゼーションの歴史的位相――「自己」と「他者」の関係史』、『アジア遊学』、二〇一三年六月、に所収された「一九五〇年代英領アフリカにおける英語教育問題――グローバリゼーションの中の言語」では、ウェールズと類似したブリテン帝国の一角としてのアフリカも視野におさめることができた。ウェールズと植民地をつなぐケイ＝シャトルワースの文献は、ロンドン大学に留学中の吉江秀和氏に依頼してコピーを送ってもらった。

ポズナン、アルザス、ブルターニュなどを研究する方々との共同研究（二〇一一―二〇一三年度、日本学術振興会科学研究費補助金基盤研究（B）「帝国・国民国家の辺境と言語」研究代表、平田雅博）も「帝国のような地域」を隠喩としても現実としても探究する上で終始刺激的であった。この科研で招聘したトマシュ・カムセラ、ジャン＝フランソワ・シャネ、ピーター・バークの講演もそれぞれ示唆を与えてくれたが、最後のジョン・マッケンジーによる東京や氏に連れだった長崎大学での講演で提示してくれた「帝国史への四ネーションアプローチ」「スコットランドと帝国」の論点からは本書の第六章でテーマとした「ウェールズと帝国」に決定的な示唆をいただいた。本書第六章の註（3）

に記載しているスウォンジーでの講演ペーパーも送ってもらった。

他にも松山にいた頃に研究会で楽しくご一緒させていただいた松山大学の千石好郎氏（社会学）から、氏のご退職を記念する『松山大学論集』に何でもいいからと本書の第一章となる原稿の執筆を誘われた。第四章が、考察範囲を現在まで延ばしてくれたとすれば、第一章は本書の中心となる一九世紀半ばから古代までさかのぼらせてくれた。いずれも、主たる研究対象とした時期をその前後に拡大して、長期的な観点から、ウェールズの歴史を構想する契機となった。

さらに第三章は、首都大学東京の木村誠氏からの依頼で「メトロポリタン学会」による「地域」をめぐる秋期シンポジウムの報告者の一人となって報告をしたときの原稿がもとになっている。ウェールズをめぐっては、先の東北学院大学や首都大学東京のシンポジウムの他に、創価大学人文学会講演や日本ケルト学会東京支部会での報告をする機会があった。このようなマイナーなテーマに耳を傾けてくれる聴衆が果たしているものか、といつも不安はつきまとったが、熱心な一般の方や学生もいるもので、それぞれお世話をしていただいた前川一郎氏と原聖氏にもこの場を借りて深謝したい。

本書は、『イギリス帝国と世界システム』二〇〇〇年、および、『内なる帝国・内なる他者――在英黒人の歴史』二〇〇四年、といずれも晃洋書房から出していただいた前二冊で扱った「帝国」と「人種」に続いて、「民族（ネーション）」を扱う三冊目の本となる。これらは、大げさに言えば、国内だけをみても分からないので帝国もみよ、白人だけみてもよく理解できないので非白人もみよ、アングロ・サクソンだけみても不明となるのでケルトもみよ、といった「戦後歴史学」の焦点の一つだった「近代イギリス史」をめぐる論点（青山吉信、今井宏編『概説イギリス史――伝統的理解をこえて』有斐閣、一九八二年。さらにさかのぼると、柴田三千雄、松浦高嶺編『近代イギリス史の再検討』、御茶の水書房、一九七二年、がある。ちなみに後者は筆者が史学科に入った当初に手にした本でもある）に沿うものではある。

しかし、底流にある問題意識はアカデミックな契機というより、まったくの個人的な契機に発している。それは四〇年近くも前に書いた短文（平田雅博「『津軽』を風化させた標準語」『朝日ジャーナル』一九巻三三号、一九七七年八月一二日号、朝日新聞社）に記した「東京と地方」「標準語と方言」といった個人的な体験に即した問題意識であった。それだけ気になるなら、青森からの出稼ぎや集団就職の歴史を「直接」やればよいではないかといってくれた人々もいたが、それらを「世界システム」とか世界の人種、民族、言語とか、世界大の構造の中でみる方も大事だった。

もう一つの問題意識があったとすれば、グローバリゼーションとそれに伴うとされる現在日本の「英語熱」である。もっか日本の子供たちは、小学生から幼稚園児に至るまで、その親たちも含めて、英語学習（とくに話すこと）に巻き込まれている。その原型はやはりイングランドの隣人であったウェールズにありはしないだろうか。案の定、一九世紀半ばの鉄道を契機とした初期のグローバル化の時代におけるウェールズには、嬉々として英語を受け入れた子供たちや親もいれば、アイデンティティとしての自分たちの言葉をなくすものとして拒否した人々もいた。

最後に、編集を担当していただいた晃洋書房の方々に感謝したい。前著から一〇年も経った後で、井上芳郎さんから声をかけていただき、今回も喜んで応じることにした。また、最終原稿を丁寧に見ていただき、さまざまなアドバイスをいただいた石風呂春香さんにも深謝する。

二〇一五年一二月二七日

平田雅博

《著者紹介》
平 田 雅 博（ひらた　まさひろ）
1951年，青森県生まれ．東京大学文学部卒業．東京都立大学大学院人文科学研究科博士課程退学．愛媛大学法文学部助教授などを経て，現在，青山学院大学文学部史学科教授．専攻はブリテン近現代史．

主要業績

『イギリス帝国と世界システム』晃洋書房，2000年．『内なる帝国・内なる他者——在英黒人の歴史』晃洋書房，2004年．『帝国意識の解剖学』（共編著），世界思想社，1999年．『近代ヨーロッパを読み解く——帝国・国民国家・地域』（共編著），ミネルヴァ書房，2008年．『世界史のなかの帝国と官僚』(共編著)，山川出版社，2009年．『戦争記憶の継承——語りなおす現場から』（共編著），社会評論社，2011年． W. D. ルービンステイン『衰退しない大英帝国』（共訳），晃洋書房，1997年． J. M. マッケンジー『大英帝国のオリエンタリズム』（単訳），ミネルヴァ書房，2001年． D. キャナダイン『虚飾の帝国』（共訳），日本経済評論社，2004年． D. キャナダイン編『いま歴史とは何か』(共訳)，ミネルヴァ書房，2005年． D. アーミテイジ『帝国の誕生』(共訳)，日本経済評論社，2005年． D. キャナダイン『イギリスの社会階級』（共訳），日本経済評論社，2008年． D. アーミテイジ『独立宣言の世界史』(共訳)，ミネルヴァ書房，2012年． R. フィリプソン『言語帝国主義』（共訳），三元社，2013年． D. アーミテイジ『思想のグローバル・ヒストリー』（共訳），法政大学出版局，2015年． R. ロス『洋服を着る近代』（単訳），法政大学出版局，2016年．

ウェールズの教育・言語・歴史
——哀れな民，したたかな民——

2016年３月10日　初版第１刷発行　　＊定価はカバーに表示してあります

著者の了解により検印省略

著　者　平 田 雅 博©
発行者　川 東 義 武
印刷者　西 井 幾 雄

発行所　株式会社　晃 洋 書 房
〒615-0026　京都市右京区西院北矢掛町７番地
電話　075（312）0788番㈹
振替口座　01040-6-32280

ISBN978-4-7710-2716-9　印刷・製本　㈱NPCコーポレーション